Charlotte Habersack
Angela Pude
Franz Specht

A2

MENSCHEN

Deutsch als Fremdsprache
Kursbuch

Hueber Verlag

Für die hilfreichen Hinweise bei der Entwicklung des Lehrwerks danken wir:
Ebal Bolacio, Goethe-Institut/UERJ, Brasilien
Esther Haertl, Nürnberg, Deutschland
Miguel A. Sánchez, EOI Léon, Spanien
Claudia Tausche, Ludwigsburg, Deutschland
Katrin Ziegler, Università degli studi di Macerata, Italien

Fachliche Beratung:
Prof. Dr. Christian Fandrych, Herder-Institut, Universität Leipzig

Fotoproduktion:
Fotograf: Florian Bachmeier, Schliersee
Organisation: Iciar Caso, Weßling

Zusätzliche interaktive Lernangebote (www.hueber.de/menschen):
Valeska Hagner, München

Die Audio- und Videodateien finden Sie in der *Hueber Media*-App. Die Audiodateien stehen zusätzlich auch unter www.hueber.de/menschen zur Verfügung.

5. 4. 3. | Die letzten Ziffern
2026 25 24 23 22 | bezeichnen Zahl und Jahr des Druckes.
Alle Drucke dieser Auflage können, da unverändert,
nebeneinander benutzt werden.
1. Auflage

Umschlaggestaltung: Sieveking · Agentur für Kommunikation, München
Zeichnungen: Michael Mantel, Barum
Filme: watch and tell-filmproduktion GmbH
Layout und Satz: Sieveking · Agentur für Kommunikation, München
Verlagsredaktion: Marion Kerner, Gisela Wahl, Nikolin Weindel, Hueber Verlag, München
Druck und Bindung: Westermann Druck GmbH, Braunschweig
Printed in Germany
ISBN 978–3–19–211902–6

Art. 530_24546_001_03

INHALT

Piktogramme und Symbole

Hörtext auf CD ▶1 02

Aufgabe im Arbeitsbuch AB

Zusätzliches interaktives Lernangebot Beruf

Grammatik

GRAMMATIK
Vorschläge und Ratschläge

ich	könnte	sollte
er/sie	könnte	sollte
wir	könnten	sollten

Kommunikation

KOMMUNIKATION
Welche Sportart sollte ich machen / würdest du mir empfehlen / passt zu mir?
...

Hinweis

für Sachen:	etwas	↔	nichts
für Personen:	einer	↔	keiner
	jemand	↔	niemand

INFO

INHALT

INHALT

Liebe Leserinnen, liebe Leser,

Menschen ist ein Lehrwerk für Anfänger. Es führt Lernende ohne Vorkenntnisse in jeweils einem Band zu den Sprachniveaus A1, A2 und B1 des Gemeinsamen Europäischen Referenzrahmens und bereitet auf die gängigen Prüfungen der jeweiligen Sprachniveaus vor.

Menschen geht bei seiner Themenauswahl von den Vorgaben des Gemeinsamen Europäischen Referenzrahmens aus und greift zusätzlich Inhalte aus dem aktuellen Leben in Deutschland, Österreich und der Schweiz auf. Das Kursbuch beinhaltet 24 kurze Lektionen, die in acht Modulen mit je drei Lektionen zusammengefasst sind.

Das Kursbuch

Die 24 Lektionen des Kursbuchs umfassen je vier Seiten und folgen einem transparenten, wiederkehrenden Aufbau:

Einstiegsseite
Der Einstieg in jede Lektion erfolgt durch ein interessantes Foto, das mit einem „Hörbild“ kombiniert wird und den Einstiegsimpuls darstellt. Dazu gibt es erste Aufgaben, die in die Thematik der Lektion einführen. Die Einstiegssituation wird auf der Doppelseite wieder aufgegriffen und vertieft. Außerdem finden Sie hier einen Kasten mit den Lernzielen der Lektion.

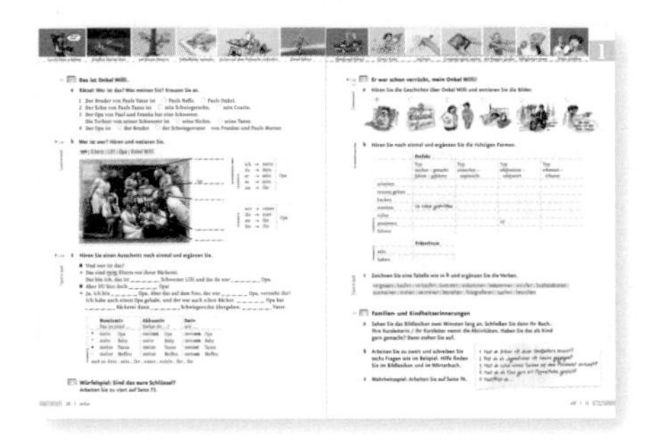

Doppelseite
Ausgehend von den Einstiegen werden auf einer Doppelseite neue Strukturen und Redemittel eingeführt und geübt. Das neue Wortfeld der Lektion wird in der Kopfzeile prominent und gut memorierbar als „Bildlexikon“ präsentiert. Übersichtliche Grammatik-, Info- und Redemittelkästen machen den neuen Stoff bewusst. In den folgenden Aufgaben werden die Strukturen zunächst meist in gelenkter, dann in freierer Form geübt. In die Doppelseite sind zudem Übungen eingebettet, die sich im Anhang auf den „Aktionsseiten“ befinden. Diese Aufgaben ermöglichen echte Kommunikation im Kursraum und bieten authentische Sprech- und Schreibanlässe.

Abschlussseite
Auf der vierten Seite jeder Lektion ist eine Aufgabe zum Sprechtraining, Schreibtraining oder zu einem Mini-Projekt zu finden, die den Stoff der Lektion nochmals aufgreift. Als Schlusspunkt jeder Lektion werden hier die neuen Strukturen und Redemittel systematisch zusammengefasst und transparent dargestellt.

Modul-Plus-Seiten
Vier zusätzliche Seiten runden jedes Modul ab und bieten weitere interessante Informationen und Impulse, die den Stoff des Moduls nochmals über andere Kanäle verarbeiten lassen.

Lesemagazin:	Magazinseite mit vielfältigen Lesetexten und Aufgaben
Film-Stationen:	Fotos und Aufgaben zu den Filmsequenzen der *Menschen*-DVD
Projekt Landeskunde:	ein interessantes Projekt, das ein landeskundliches Thema aufgreift und einen zusätzlichen Lesetext bietet
Ausklang:	ein Lied mit Anregungen für einen kreativen Einsatz im Unterricht

Zusätzliche interaktive Lernangebote
Der Stoff aus *Menschen* kann zu Hause selbstständig vertieft werden. Das fakultative Zusatzprogramm für die Lernenden ist passgenau mit dem Kursbuch verzahnt und befindet sich im Lehrwerkservice unter www.hueber.de/menschen.

Übersicht über die Verweise:

interessant?	... führt zu einem Lese- oder Hörtext (mit Didaktisierung) oder Zusatzinformationen, die das Thema aufgreifen und aus einem anderen Blickwinkel betrachten
noch einmal?	... hier kann man den KB-Hörtext noch einmal hören und andere Aufgaben dazu lösen
Spiel & Spaß	... führt zu einer kreativen, spielerischen Aufgabe zum Thema
Comic	... führt zu einem Comic, der an das Kursbuch-Thema anknüpft
Beruf	... erweitert oder ergänzt das Thema um einen beruflichen Aspekt
Diktat	... führt zu einem kleinen interaktiven Diktat
Audiotraining	... Automatisierungsübungen für zu Hause und unterwegs zu den Redemitteln und Strukturen
Karaoke	... interaktive Übungen zum Nachsprechen und Mitlesen

Im Lehrwerkservice finden Sie außerdem zahlreiche weitere Materialien zu *Menschen* sowie die Audio-Dateien zum Kursbuch als MP3-Downloads.

Viel Spaß beim Lernen und Lehren mit *Menschen* wünschen Ihnen

Autoren und Verlag

DIE ERSTE STUNDE IM KURS

1 Wählen Sie vier Themen und notieren Sie Informationen über sich.
Drei Informationen sind richtig, eine Information ist falsch.

Sprachen | Hobbys | Ausbildung/Beruf | Familie | Alter | Lieblingsstadt | Pläne | Träume | …

Ich habe ein Kind.
Ich arbeite als Verkäuferin.
Nach dem Deutschkurs will ich unbedingt in die Schweiz fahren.
Ich würde gern …

2 Sagen Sie Ihren Namen und lesen Sie die Informationen vor.
Die anderen notieren den Namen und machen Notizen.
Was meinen Sie: Welche Information ist falsch?

3 Vergleichen Sie. Haben Sie richtig geraten?

■ Maria, ich glaube, du hast keine Kinder.
▲ Doch, ich habe eine Tochter.
● Aber du arbeitest nicht als Verkäuferin.
▲ Ja, das stimmt.

Mein Opa war auch schon Bäcker. 1

Hören/Sprechen: über Berufe sprechen: *Mein Großvater war Arzt.*; Familiengeschichten erzählen: *Also passt auf: Onkel Willi war …*; Reihenfolge angeben: *zuerst – dann – …*

Wortfelder: Familie; Aktivitäten und Ereignisse

Grammatik: Possessivartikel *unser, euer* im Nominativ/Akkusativ/Dativ; Wiederholung: Perfekt *haben gestritten*; Präteritum *war/hatte*

▶ 1 02 **1 Sehen Sie das Foto an und hören Sie. Was ist richtig?**

a Paul und Franka backen ◯ in der Schule ◯ mit ihrem Großvater Brezeln.
b Paul findet Brezelnbacken am Anfang ◯ kompliziert. ◯ einfach.
c Paul bekommt Hilfe von ◯ seinem Opa. ◯ seiner Schwester.
d Am Ende klappt es ◯ gut. ◯ immer noch nicht so gut.
e Sie können mit dem Teig noch ◯ 30 ◯ 50 Brezeln backen.

2 Was sind/waren Ihre Großeltern von Beruf?
Finden Sie den Beruf interessant?

Mein Großvater war Arzt und mein Vater ist auch Arzt. Ich möchte auf keinen Fall Arzt werden. Mir dauert das Studium zu lange. …

Geschichten erzählen

draußen übernachten

auf Bäume klettern

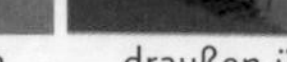

Fußballbilder sammeln

Sachen auf dem Flohmarkt verkaufen

Einrad fahren

AB

3 Das ist Onkel Willi.

a Rätsel: Wer ist das? Was meinen Sie? Kreuzen Sie an.

1 Der Bruder von Pauls Vater ist ○ Pauls Neffe. ○ Pauls Onkel.
2 Der Sohn von Pauls Tante ist ○ sein Schwiegersohn. ○ sein Cousin.
3 Der Opa von Paul und Franka hat eine Schwester.
Die Tochter von seiner Schwester ist ○ seine Nichte. ○ seine Tante.
4 Der Opa ist ○ der Bruder ○ der Schwiegervater von Frankas und Pauls Mutter.

▶1 03 **b Wer ist wer? Hören und notieren Sie.**

noch einmal?

~~ich~~ | Eltern | Lilli | Opa | Onkel Willi

____
ich
____
____
____

WIEDERHOLUNG GRAMMATIK

ich → mein		
du → dein		
er → sein		Opa
es → sein		
sie → ihr		

GRAMMATIK

wir → unser		
ihr → euer		Opa
sie → ihr		
Sie → Ihr		

▶1 04 **c Hören Sie einen Ausschnitt noch einmal und ergänzen Sie.**

Spiel & Spaß

■ Und wer ist das?
▲ Das sind meine Eltern vor ihrer Bäckerei.
Das bin ich, das ist ________ Schwester Lilli und das da war ________ Opa.
■ Aber DU bist doch ________ Opa!
▲ Ja, ich bin ________ Opa. Aber das auf dem Foto, das war ________ Opa, versteht ihr?
Ich habe auch einen Opa gehabt, und der war auch schon Bäcker. ________ Opa hat ________ Bäckerei dann ________ Schwiegersohn übergeben. ________ Vater.

GRAMMATIK

	Nominativ Das ist/sind ...		**Akkusativ** Siehst du ...?		**Dativ** mit ...	
●	mein	Opa	mein**en**	Opa	mein**em**	Opa
●	mein	Baby	mein	Baby	mein**em**	Baby
●	meine	Tante	meine	Tante	mein**er**	Tante
●	meine	Neffen	meine	Neffen	mein**en**	Neffen

auch so: dein-, sein-, ihr-, unser-, eu(e)r-, ihr-, Ihr-

4 Würfelspiel: Sind das eure Schlüssel?

Arbeiten Sie zu viert auf Seite 139.

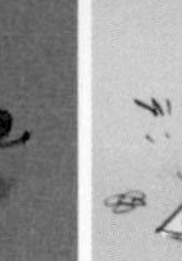

Skateboard fahren | Comics lesen | zeichnen | Computerspiele spielen | mit Puppen spielen | Süßigkeiten essen | Witze erzählen

▶ 1 05 AB

interessant?

5 Er war schon verrückt, mein Onkel Willi!

a Hören Sie die Geschichte über Onkel Willi und sortieren Sie die Bilder.

1 
○ 

○ 
○ 
○ 

○ 

WIEDERHOLUNG

b Hören Sie noch einmal und ergänzen Sie die richtigen Formen.

GRAMMATIK

	Perfekt			
	Typ *machen – gemacht* *fahren – gefahren*	Typ *anmachen – angemacht*	Typ *telefonieren – telefoniert*	Typ *erkennen – erkannt*
arbeiten				
tanzen gehen				
backen				
streiten	sie haben gestritten			
rufen				
passieren			ist …	
fahren				

GRAMMATIK

	Präteritum
sein	
haben	

Spiel & Spaß

c Zeichnen Sie eine Tabelle wie in b und ergänzen Sie die Verben.

vergessen | kaufen | verkaufen | kommen | ankommen | bekommen | anrufen | buchstabieren | ausmachen | stehen | verstehen | bestehen | fotografieren | suchen | besuchen

AB

6 Familien- und Kindheitserinnerungen

a Sehen Sie das Bildlexikon zwei Minuten lang an. Schließen Sie dann Ihr Buch. Ihre Kursleiterin / Ihr Kursleiter nennt die Aktivitäten. Haben Sie das als Kind gern gemacht? Dann stehen Sie auf.

b Arbeiten Sie zu zweit und schreiben Sie sechs Fragen wie im Beispiel. Hilfe finden Sie im Bildlexikon und im Wörterbuch.

1 Hast du früher oft deine Großeltern besucht?
2 Bist du als Jugendlicher oft tanzen gegangen?
3 Hast du schon einmal Sachen auf dem Flohmarkt verkauft?
4 Hast du als Kind gern mit Puppen/Autos gespielt?
5 Hast/Bist du …

c Wahrheitsspiel: Arbeiten Sie auf Seite 140.

SPRECHTRAINING

▶1 05 **7 Hören Sie die Geschichte von Onkel Willi noch einmal. Was ist passiert?**
Erzählen Sie die Geschichte nach.

nicht fleißig | nicht gern gearbeitet | lieber tanzen gegangen | Vater krank | Bäckerei nicht aufgemacht | keine Brezeln gebacken | Bäckerei geschlossen | gestritten | Vater gerufen: „Geh doch dahin, wo der Pfeffer wächst!" | Motorrad gekauft | nach Indien gefahren

zuerst → dann → danach → zum Schluss
INFO

AB **8 Familiengeschichten: Gibt es in einer Ihrer Familien auch eine interessante Person wie Onkel Willi?**

a Arbeiten Sie zu viert. Machen Sie Notizen wie in **7**. Suchen Sie auch die passenden Verbformen.

b Erzählen Sie Ihre Geschichte gemeinsam im Kurs.

Diktat

KOMMUNIKATION

Habe ich euch schon von meinem/meiner ... erzählt?
Also passt auf: ...
Und wisst ihr, was ... dann gemacht hat?
Wisst ihr, was dann passiert ist?
Er/Sie war schon verrückt/nett/lustig, mein/meine ...

c Welche Geschichte gefällt Ihnen am besten? Machen Sie eine Abstimmung.

Audiotraining | Karaoke

GRAMMATIK

Possessivartikel *unser/euer/ihr/Ihr*

	wir	ihr	sie (Plural)	Sie (Singular/ Plural)
●	unser	euer	ihr	Ihr Opa
●	unser	euer	ihr	Ihr Baby
●	unsere	eure	ihre	Ihre Tante
●	unsere	eure	ihre	Ihre Neffen

Possessivartikel im Nominativ, Akkusativ und Dativ

	Nominativ Das ist/sind ...	**Akkusativ** Siehst du ...?	**Dativ** mit ...
●	mein Opa	mein**en** Opa	mein**em** Opa
●	mein Baby	mein Baby	mein**em** Baby
●	meine Tante	meine Tante	mein**er** Tante
●	meine Neffen	meine Neffen	mein**en** Neffen
auch so: dein-, sein-, ihr-, unser-, eu(e)r-, ihr-, Ihr-			

KOMMUNIKATION

über Berufe sprechen

Mein Großvater war Arzt und mein Vater ist auch Arzt. Ich möchte auf keinen Fall Arzt werden. Mir dauert das Studium zu lange.

Familiengeschichten erzählen

Habe ich euch schon von meinem/meiner ... erzählt?
Also passt auf: ...
Und wisst ihr, was ... dann gemacht hat?
Wisst ihr, was dann passiert ist?
Er/Sie war schon verrückt/nett/lustig, mein/meine ...

Reihenfolge angeben

zuerst – dann – danach – zum Schluss

Wohin mit der Kommode? 2

Sprechen: Einrichtungs-tipps geben: *Stellen Sie eine Lampe auf den Tisch!*

Lesen: Magazintext

Schreiben: Kreatives Schreiben

Wortfelder: Einrichtung, Umzug

Grammatik: Wechsel-präpositionen mit Dativ und Akkusativ: *Wo? – Vor dem Sofa. / Wohin? – Vor das Sofa.*; Verben mit Wechselpräpositionen: *stehen – stellen …*

1 Sind Sie schon einmal umgezogen? Wie oft?

■ Ich bin schon viermal umgezogen. Das macht mir Spaß. Ich renoviere gern und richte auch gern Wohnungen ein.

▲ Wirklich? Ich finde das blöd. Ich ziehe gar nicht gern um.

▶ 1 06

2 Sehen Sie das Foto an und hören Sie. Wer sagt was?

	Jasmin	Stefan	Möbelpacker
a Die Kommode soll neben der Tür stehen.	○	○	○
b Sie soll lieber unter dem Fenster stehen.	○	○	○
c Sie sollen nicht mehr diskutieren.	○	○	○
d Die Kommode ist schwer.	○	○	○

an die Wand

an der Wand

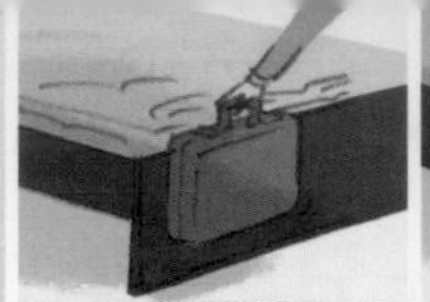
neben das Bett

neben dem Bett

vor die Tür

vor der Tür

hinter die Tür

hinter der Tür

▶1 07
AB

3 Das Fernsehgerät muss vor dem Sofa stehen.

a Welche Beschreibung passt? Hören Sie die Aussagen 1 und 2 von Stefan und Jasmin und ordnen Sie sie den Fotos zu.

○

○

b Wo sind die Sachen? Hören Sie noch einmal und ergänzen Sie.

1 Der Schrank kann in der Ecke oder neben dem ____________ stehen.
2 Auf dem ____________ liegen ein paar hübsche Kissen.
3 Das Fernsehgerät verstecke ich im ____________.
4 An der Wand hängen Bilder.

Spiel & Spaß

4 Zimmer beschreiben: Unterschiede finden

Arbeiten Sie auf Seite 141. Ihre Partnerin / Ihr Partner arbeitet auf Seite 143.

AB

5 Ein Zimmer einrichten

a Was ist richtig? Lesen Sie den Magazintext auf Seite 17 und kreuzen Sie an.

1 Einrichten ist Geschmackssache. Man kann keine Tipps geben. ○
2 Aufpassen müssen Sie mit großen Möbelstücken. Sie machen ein Zimmer dunkel. ○
3 Stellen Sie nicht zu viele Dinge auf ein Regal. ○
4 Licht ist nicht so wichtig. ○
5 Teppiche machen einen Raum ungemütlich. ○

b Lesen Sie die Tipps und markieren Sie den passenden Artikel. Ergänzen Sie dann die Tabelle.

1 Hat der Raum zwei Türen? Dann stellen Sie große Möbelstücke zwischen ⊗ die ○ den Türen.
2 Stellen Sie nur wenige Urlaubs-Souvenirs auf ○ ein ○ einem Regal.
3 Legen Sie einen Teppich auf ○ dem ○ den Boden.
4 Stellen Sie große Möbelstücke vor ○ ein ○ eine helle Wand.

GRAMMATIK

Wohin stellen/legen/hängen …? + Akkusativ			Wo steht/liegt/hängt …? + Dativ		
• auf	________ / einen	Tisch	auf	dem / einem	Tisch
• auf	das / ________	Regal	auf	dem / einem	Regal
• vor	die / ________	Wand	vor	der / einer	Wand
• zwischen	die / --	Türen	zwischen	den / --	Türen

Spiel & Spaß

c Im Kursraum: *Wohin* und *Wo?* Sprechen Sie. Hilfe finden Sie im Bildlexikon.

■ Wohin soll ich dein Buch legen?
▲ Leg das Buch auf das Heft. Wo ist mein Buch jetzt?
■ Dein Buch liegt auf dem Heft.

zwischen die Türen

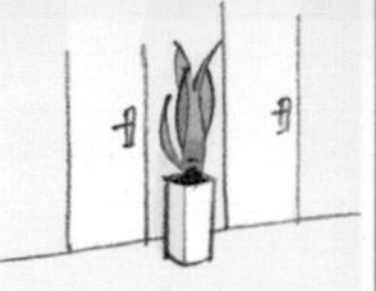
zwischen den Türen

über den Tisch

über dem Tisch

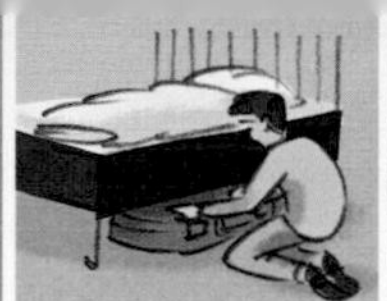
unter das Bett

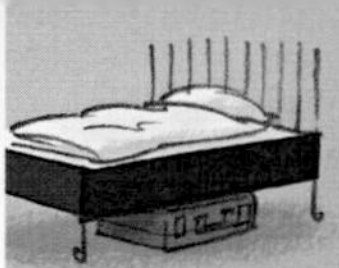
unter dem Bett

in den Schrank

im Schrank

IST EINRICHTEN WIRKLICH GESCHMACKSSACHE?

VIELLEICHT. JEDER RICHTET SEINE WOHNUNG JA ANDERS EIN.

Vom Klassiker, dem Wohnzimmer mit Sofa-Landschaft, über das moderne, fast schon leere Zimmer, bis hin zur Kuschel-Ecke für Romantiker ist alles möglich.

Wer ein paar wichtige Dinge beachtet, hat es zu Hause immer gemütlich. Hier die wichtigsten Tipps der DOMIZIL-Redaktion:

Vorsicht mit großen Möbelstücken! Immer vor eine helle Wand oder zwischen zwei Türen stellen, sonst wird das Zimmer schnell zu dunkel.

Weniger ist mehr! Stellen Sie nur wenige Urlaubs-Souvenirs auf ein Regal oder auf einen Schrank. Dann sieht es nicht aus wie auf einem Flohmarkt.

Schön: ein Sofa unter einem Regal. Aber: Das Sofa nicht vor die Heizung stellen! Sonst wird das Zimmer nicht richtig warm.

Stellen Sie eine Lampe auf den Tisch. Das Licht ist dann indirekt und wärmer als direktes Deckenlicht.

Legen Sie einen Teppich auf den Boden. Ein Teppich auf dem Boden macht das Zimmer gleich viel gemütlicher.

AB | Beruf

6 Ein Zimmer einrichten: Wohin sollen die Sachen?

Arbeiten Sie auf Seite 142. Ihre Partnerin / Ihr Partner arbeitet auf Seite 144.

AB | interessant?

7 Unsere besten Tipps

a Arbeiten Sie in Gruppen. Welche vier Einrichtungstipps finden Sie am wichtigsten? Machen Sie ein Plakat.

1 wenige Möbelstücke in einen Raum stellen

2 Vorsicht mit zu viel Farbe!

3 ...

b Präsentieren Sie Ihr Plakat im Kurs.

Stellt nur wenige Möbelstücke in einen Raum. Der Raum wird sonst ...

KOMMUNIKATION

Stellt/Legt/Hängt nicht/nur ...
Sonst wird der Raum / das Zimmer ...
Dann sieht man ...
Vorsicht mit ... / Passt auf mit ... / Seid vorsichtig mit ...
Schön ist ein Bild / ... an der Wand / vor ...
Aber: Hängt/Stellt/Legt nicht/kein- ...

SCHREIBTRAINING

AB **8** **Kreatives Schreiben: ein Gedicht**

a Wählen Sie einen Gegenstand / eine Sache aus Ihrem Haus oder Ihrer Wohnung und notieren Sie Ihre Assoziationen.

Etwas aus Haus oder Wohnung: ____________________
Wie ist das? (Farbe, Form oder Eigenschaft) ____________________
Wo ist/steht es? ____________________

Etwas aus Haus oder Wohnung: das Werkzeug
Wie ist das? praktisch
Wo ist/steht es? im Keller

das Essen
lecker
auf dem Herd

Diktat

b Schreiben Sie nun ein Gedicht und lesen Sie es dann vor.

1. Zeile: die Farbe, die Form oder die Eigenschaft (1 Wort) — *praktisch*
2. Zeile: der Gegenstand / die Sache — *das Werkzeug*
3. Zeile: Wo ist/steht das? (2–3 Wörter) — *im Keller*
4. Zeile: Schreiben Sie einfach weiter. (3–5 Wörter) — *kann es oft nicht finden*
5. Zeile: Abschluss (1 Wort) — *schade*

lecker
das Essen
auf dem Herd
dazu ein Glas Wein
Hunger

Audiotraining | Karaoke

GRAMMATIK

Wechselpräpositionen mit Dativ und Akkusativ

	Wohin stellen/legen/ hängen ...? Akkusativ		**Wo steht/liegt/ hängt ...? Dativ** 	
	definiter Artikel	indefiniter Artikel	definiter Artikel	indefiniter Artikel
•	auf den Tisch	auf einen Tisch	auf dem Tisch	auf einem Tisch
•	auf das Regal	auf ein Regal	auf dem Regal	auf einem Regal
•	vor die Wand	vor eine Wand	vor der Wand	vor einer Wand
•	zwischen die Türen	zwischen zwei / – Türen	zwischen den Türen	zwischen zwei / – Türen

auch so bei: an, neben, hinter, über, unter, in

! in dem = im
an dem = am

KOMMUNIKATION

Einrichtungstipps geben

Stellt/Stellen Sie nicht/nur ...
Sonst wird der Raum / das Zimmer ...
Dann sieht man ...
Vorsicht mit / Passt auf mit ... /
Seid vorsichtig mit ...
Schön ist ein Bild / ... an der Wand. / vor ...
Aber: Hängt/Stellt/Legt nicht/kein- ...

Hier finden Sie Ruhe und Erholung. 3

Sprechen: etwas bewerten: *Die Idee gefällt mir überhaupt nicht.*; Vorlieben und Wünsche ausdrücken: *Ich würde am liebsten … buchen.*

Lesen: touristische Werbebroschüren und Anzeigen

Wortfelder: Natur und Landschaften

Grammatik: Wortbildung Nomen: Verb + *-er*: *der Vermieter*, Verb + *-ung*: *die Ordnung*

1 Sehen Sie die Fotos an.
Welches Foto gefällt Ihnen?

Mir gefällt Foto B am besten.
Ich mag die Berge so gern.

▶ 1 08 **2 Wie begrüßt man sich in den verschiedenen Regionen?**
Sehen Sie die Fotos an und hören Sie.
Ordnen Sie dann zu.

Guten Tag | Grüß Gott | Grüezi mitenand | Tach

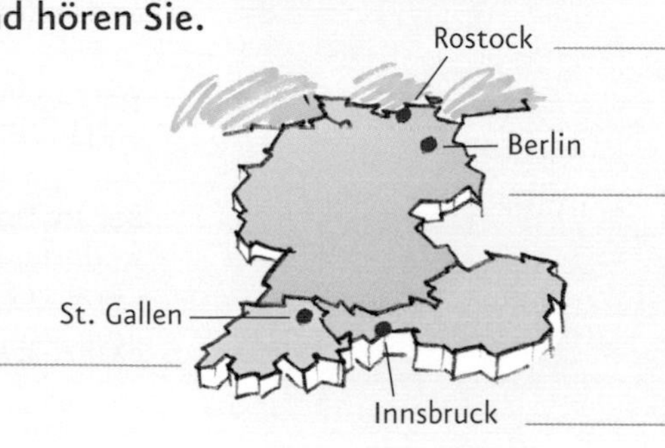

AB

Spiel & Spaß

3 Landschafts- und Städtereisen

a Welches Foto passt? Überfliegen Sie die Werbetexte und ordnen Sie zu.

1 

2 

3 

4 

A ○

Zu viel Stress? Alles zu schnell?

Stopp! Hier finden Sie **Ruhe, Entspannung** und **Erholung**: Auf dem **Öko-Wellness-Bauernhof** von Johann und Theresia Lindthaler gehen die Uhren anders.

Bei uns gibt es keine Termine. Hier muss nichts schnell gehen. Sie dürfen langsam sein, lange schlafen, lange frühstücken, unseren Bergkräutertee, unsere Original-Heudampfbäder und unsere gute Luft genießen. Wandern Sie über hellgrüne Wiesen, durch dunkelgrüne Wälder und Sie werden erleben: Hier auf dem Lindthaler-Hof ist die Welt noch in Ordnung.

Und wenn Sie doch mal einen Einkaufsbummel machen wollen? Dann fahren Sie einfach ins Inntal hinunter: Mit dem Auto sind es nur 15 Minuten nach Innsbruck.

Herzlich willkommen! *Ihre Familie Lindthaler*

INFO
- grün
- hellgrün
- dunkelgrün

B ○

Du möchtest KITE-SURFEN lernen ...?

Na, dann komm doch gleich zu uns nach Pepelow am Salzhaff!!
Du hast die Motivation, wir haben die Erfahrung.

Unsere Segel- und Surf-Schule **‚WINDKIND'** ist der ideale Ort für dich:

- hier gibt es Unterricht für Anfänger und Fortgeschrittene
- unsere Kurse sind nicht teuer
- unsere Gruppen sind klein
- wir sind den ganzen Tag draußen: am Strand und auf dem Meer
- alle unsere Lehrer machen ihren Job wirklich gern
- außerdem haben wir (fast) immer Wind
- und du bekommst bei uns die neueste Surf-Mode zu absoluten Top-Preisen

Also, worauf wartest du noch? Melde dich hier an!
‚WINDKIND', so soll es sein:
Spaß ganz groß & Preise klein!

C ○

VELO-MANN

Ihr sympathischer Velovermieter am Bodensee.

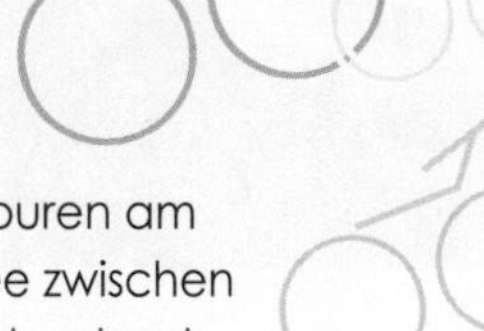

Es gibt viele Velo-Touren am Schweizer Bodensee zwischen Kreuzlingen und Rohrschach.

Zum Beispiel können Sie am Ufer entlang fahren und ohne Anstrengung den Blick auf den See genießen. Oder Sie machen eine Fahrt über die Hügel und durch die Dörfer und sehen im Süden die Schweizer Alpen und im Norden den ganzen See.

Wir von VELO-MANN kennen alle Touren und beraten Sie sehr gern.

Bei uns bekommen Sie Karten, Tipps, Ausrüstung und natürlich ... Fahrräder! VELO-MANN, der Velovermieter mit dem EXTRA-SERVICE!

● Meer ● Strand ● See ● Fluss ● Ufer ● Landschaft ● Berg ● Hügel

(D) ◯

N&K-Reisen

NATUR & KULTUR

Landschafts- und Städtereisen

Sie sind Naturliebhaber?
Sie hören gern Frösche quaken und Vögel singen?
Sie sind offen für die Landschaft und für Pflanzen und Tiere am und im Wasser?
Aber: Sie sind auch Großstadt-Fan und genießen gerne mal einen Stadtbummel?

WASSERWANDERN SPREE – BERLIN

Dann haben wir ein Superangebot für Sie: Fahren Sie mit dem Kajak in fünf bis sieben Tagen vom Spreewald bis nach Berlin. Die Tour beginnt auf der Spree in Lübben und endet auf dem Langen See in Berlin-Köpenick. Sie übernachten im Zelt auf Campingplätzen direkt am Wasser. Sprechen Sie mit uns. Wir machen Ihnen ein Angebot genau nach Ihren Wünschen.

Spiel & Spaß

b Lesen Sie die Texte noch einmal. Hilfe finden Sie auch im Bildlexikon. Was ist richtig? Kreuzen Sie an.

(A) 1 Der Bauernhof liegt in der Nähe von Innsbruck. ◯
2 Urlaub bei Familie Lindthaler ist ideal für Wanderer. ◯

(B) 3 Bei *Windkind* machen Sie Sport und sind den ganzen Tag am Wasser. ◯
4 Nur als Fortgeschrittener dürfen Sie beim Unterricht mitmachen. ◯

(C) 5 Der Velovermieter ist in den Schweizer Alpen. ◯
6 Sie können Karten und Fahrräder, aber auch Beratung bekommen. ◯

(D) 7 *N&K-Reisen* bietet eine Wanderung auf der Spree an. ◯
8 Sie können sportlich aktiv sein, die Natur genießen und Berlin erleben. ◯

GRAMMATIK

Verb + -er → **Nomen**
wander-n + -er → der Wander**er**
Verb + -ung → **Nomen**
berat-en + -ung → die Berat**ung**

AB

4 Wörter im Text verstehen

Arbeiten Sie zu zweit auf Seite 145.

interessant?

5 Landschaften beschreiben: In der Mitte ist ein See.

Arbeiten Sie zu dritt auf Seite 141.

AB Diktat

6 Das Angebot gefällt mir.

a Welches Angebot gefällt Ihnen am besten? Überfliegen Sie die Werbetexte in 3a noch einmal und notieren Sie Stichwörter.

	(A)
Wie finden Sie die Idee?	ganz in Ordnung
Warum?	viele Menschen haben zu viel Stress
Würden Sie die Reise buchen?	auf keinen Fall
Warum / Warum nicht?	zu langweilig, zu wenig Menschen

Comic

b Erzählen Sie. Verwenden Sie dabei Ihre Stichwörter aus a.

1 Welches Angebot / Welche Idee gefällt Ihnen am besten?
2 Welche Reise würden Sie am liebsten buchen?

KOMMUNIKATION

Also ich finde/denke/mag …
Mir gefällt das Angebot / die Idee auch sehr gut / nicht besonders / überhaupt nicht.
Glaubst du, das funktioniert?
Ich glaube, das funktioniert nicht.
Ja, ich glaube schon. … liegt im Trend / ist gerade in.
Ich würde am liebsten … buchen.
Echt/Wirklich? Ich fahre lieber …

MINI-PROJEKT

7 Reiseveranstalter

Beruf

a Ihre Geschäftsidee: Was für Reisen/Aktivitäten wollen Sie anbieten? Arbeiten Sie in Gruppen. Notieren Sie fünf Dinge. Suchen Sie dann einen passenden Namen für Ihre Firma.

- ■ Wie heißt unsere Firma?
- ▲ Vielleicht *Skihasen*?
- ● Ach nein. Ich finde, *Ski und Rodel gut* besser.
- ■ Okay. Das ist eine gute Idee.

b Schreiben Sie den Namen an die Tafel. Was bieten Sie an? Die anderen Gruppen raten. Für jede richtige Antwort gibt es einen Punkt.

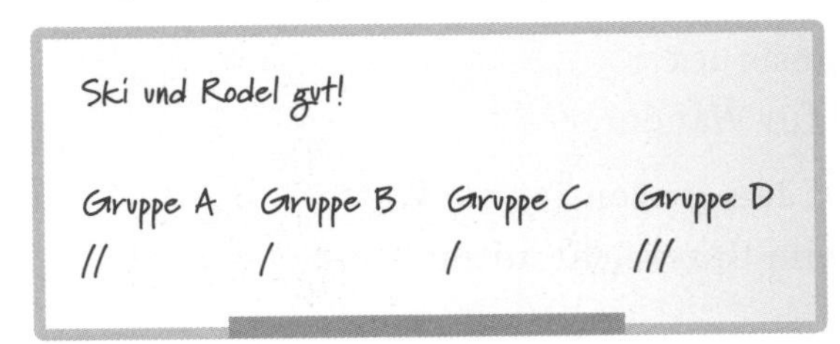

- ■ Wollt ihr Skikurse anbieten?
- ▲ Ja, das ist richtig.
- ■ Und bietet ihr auch … an?

Audiotraining | Karaoke

GRAMMATIK

Wortbildung: Verb → Nomen	
Verb + -er	**→ Nomen (meist Personen)**
wander-n + -er	→ der Wander**er**
auch so: vermieten, mieten, fahren, surfen …	

Verb + -ung → Nomen
erfahr-en + -ung → die Erfahr**ung**
auch so: ordnen, erholen, entspannen, anstrengen, ausrüsten, übernachten, wandern, anmelden, beraten …

KOMMUNIKATION

etwas bewerten

Welche Idee gefällt Ihnen am besten?
Also ich finde/denke/mag …
Mir gefällt das Angebot / die Idee auch sehr gut / nicht besonders / überhaupt nicht.
Glaubst du, das funktioniert?
Ich glaube, das funktioniert nicht.
Ja, ich glaube schon. Wandern / … liegt im Trend / ist gerade in.

Vorlieben und Wünsche ausdrücken

Welche Reise würden Sie am liebsten buchen?
Ich würde am liebsten … buchen.
Echt/Wirklich? Ich fahre lieber …

MEIN FAMILIENSTAMMBAUM

Hallo Leute!
Das ist mein Stammbaum. Ratet mal, wer ich bin. Ich bin noch nicht verheiratet, lebe aber auch nicht allein. Denn ich habe eine große Familie:

Meine Großeltern väterlicherseits leben in der Türkei. Sie besitzen ein kleines Hotel am Meer, zusammen mit meiner Tante Leyla und meinem Onkel Emre. Onkel Emre und Tante Leyla haben zwei Kinder – meinen Cousin Murat und meine Cousine Kiraz. Sie sind beide 13 Jahre alt. Genau! Sie sind Zwillinge.

Und nun zu meiner Familie mütterlicherseits: Mamas Eltern heißen Ahmet und Pinar. Sie sind in den 50er Jahren nach Deutschland ausgewandert. Mein Großvater hatte einen tollen Job bei BMW. Meine Großmutter war Hausfrau. Ihr Sohn, Onkel Deniz, ist Friseur. Er arbeitet in einem Salon in der Stadt. Ihre Tochter, also meine Mutter, hat in Regensburg an der Uni Medizin studiert. Dort hat sie auch meinen Vater kennengelernt. Sie sind beide Hautärzte und haben eine Praxis zusammen. Um den Haushalt kümmern sich meine Großeltern. Sie wohnen bei uns.

Ich habe zwei Geschwister. Mein Bruder Mert geht in die 7. Klasse. Meine Schwester Sibel macht eine Ausbildung zur Krankenschwester. Und ich? Ach ja ... habt ihr es erraten? Ich bin 18 Jahre alt und gehe noch zur Schule. Ich will Lehrerin werden.

Oft verbringen wir unseren Urlaub bei meinen Großeltern in der Türkei. Wenn wir alle zusammen sind, lachen und reden wir bis tief in die Nacht. Ich bin sehr stolz auf meine Familie. Es gibt keine bessere!

Opa Ahmet
kann alles reparieren

Oma Pinar
macht die besten Börek

Opa
hat ein Hotel

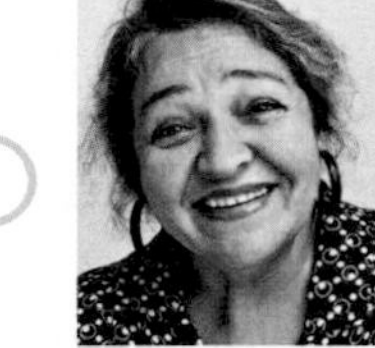
Oma
wohnt am Meer

leben in der Türkei

Onkel Deniz
lebt allein

Mama
spricht viele Sprachen

Papa
ist von Beruf Hautarzt

Onkel Emre
ist verheiratet

Leyla
wohnt in Patara

Mert
geht gern ins Kino

Meral

Sibel
arbeitet als Krankenschwester

Murat
ist 13 Jahre alt

Kiraz
hat eine süße Katze

1 Wer hat den Text geschrieben?
Überfliegen Sie den Text und markieren Sie die Person im Stammbaum. Lesen Sie dann noch einmal und ergänzen Sie Informationen über die Personen im Stammbaum.

2 Und Sie? Haben Sie auch eine große Familie? Erzählen Sie.

▶ Clip 1

1 Der Umzug

a Wie heißen die Personen? Sehen Sie den ersten Teil des Films (bis 1:08) und ergänzen Sie.

______ ______ ______ ______

b Wie geht der Film weiter? Was meinen Sie?

Ich glaube, Lena und Christian laden die beiden zum Kaffee ein.

c Sehen Sie den Film nun ganz und korrigieren Sie.

1 Christian kann ~~sein Handy~~ nicht finden. *den Schlüssel*
2 Melanie und Max sind die neuen Kollegen von Lena und Christian.
3 Lena und Christian haben sich in der Schweiz kennengelernt.
4 Sie sind nach München gezogen, weil Lena ein tolles Jobangebot bekommen hat.
5 Lena und Christian brauchen doch keinen Schlüsseldienst, weil Melanie den Schlüsselbund auf der Straße gefunden hat.
6 Max hilft Lena und Christian mit dem Schrank.

d Welche Möbelstücke sehen Sie? Sehen Sie einen Ausschnitt aus dem Film (2:43 bis 3:25) noch einmal und notieren Sie.

einen Teppich, ______

______

______

2 Glück oder Pech?

a Was bedeutet das? Ordnen Sie zu und vergleichen Sie mit dem Film.

Mit Brot und Salz wünschen Nachbarn  — sieben Jahre Pech.
Ein zerbrochener Spiegel bedeutet  — Glück.
Scherben bringen 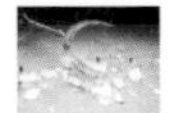 — Glück im neuen Haus.

b Machen Sie Notizen zu den Fragen und erzählen Sie.

1 Was bringt Ihnen Glück/Pech? ______
2 Haben Sie einen Glücksbringer? ______

1 Die Familie Mann: Lesen Sie den Lexikonartikel und ergänzen Sie die Tabelle.

Die Familie Mann

Die Familie Mann ist eine deutsche Familie aus Lübeck. Am berühmtesten sind die Brüder Heinrich Mann (1871–1950) und Thomas Mann (1875–1955). Ihr Vater ist der Lübecker Kaufmann Thomas Johann Heinrich Mann. Ihre Mutter Julia (geborene da Silva-Bruhns) ist brasilianischer Herkunft. Wichtige Bücher von Heinrich und Thomas Mann sind zum Beispiel *Der Untertan* (Heinrich Mann) sowie *Buddenbrooks, Der Zauberberg* und *Doktor Faustus* (Thomas Mann).
Nach dem Tod des Vaters zieht die Familie 1893 nach München.

Heinrich Mann heiratet 1914 die Prager Schauspielerin Maria Kanová. Ihre Tochter Leonie kommt zwei Jahre später zur Welt. 1930 lässt Heinrich sich von Maria scheiden und zieht nach Berlin. Seine zweite Ehefrau Nelly Krüger heiratet er 1939. Von 1933 bis 1940 lebt die Familie in Frankreich und 1940 gehen Heinrich und Nelly in die USA ins Exil. 1950 stirbt Heinrich Mann dort.

Thomas Mann heiratet 1905 Katia Pringsheim, die Tochter eines Münchner Professors. Mit ihr bekommt Thomas Mann sechs Kinder. Drei der Kinder werden auch Schriftsteller: Erika, Klaus und Golo Mann. 1929 bekommt Thomas Mann den Nobelpreis für Literatur für seinen Roman *Buddenbrooks*. In der Zeit von 1933 bis 1938 lebt die Familie in der Schweiz und emigriert 1938 in die USA. Im Juni 1952 kommen Thomas und Katia zusammen mit ihrer Tochter Erika wieder in die Schweiz zurück. Hier stirbt Thomas Mann 1955.

	Heinrich Mann	Thomas Mann
Familie	Vater: Thomas Johann Heinrich Mann Mutter: ... 1. Ehefrau: ... Kinder:	
Leben	in Lübeck geboren ...	
Beruf / Werke	Schriftsteller „Der Untertan"	

2 Berühmte Familien aus den deutschsprachigen Ländern oder aus Ihrem Heimatland

a Wählen Sie eine Familie, suchen Sie Informationen und machen Sie Notizen.

Familie		
Leben		
Beruf		

b Präsentieren Sie „Ihre" Familie im Kurs.

Ich möchte von der Familie ... erzählen.
Am berühmtesten ist/sind ...

Früher war alles besser

Im Keller ist es dunkel, im Keller ist es kalt.
Hier gibt es viele Sachen, die meisten sind sehr alt.
Schon lange steht auch Walter hier in der „Unterwelt“.
Wer hat denn diesen Gartenzwerg ins Regal gestellt?
Hat Walter selbst 'ne Meinung zu seiner Situation?
Natürlich hat er eine! Hört zu, hier kommt sie schon:

Früher war alles besser.
Früher war alles schön.
Früher war ich jeden Tag im Garten
und hab' den Himmel und die Sonne gesehen.
Früher war alles besser.
Früher war alles fein.
Ich hatte sogar eine Gartenzwergfrau
und war nicht so schrecklich allein.

Im Keller ist es dunkel, im Keller ist es kalt.
Hier liegen viele Sachen, die meisten sind sehr alt.
Gartenzwergin Berta liegt in dem Puppenhaus.
Wer hat sie denn dort hingelegt? Das sieht ja komisch aus!
Hat Berta selbst 'ne Meinung zu ihrer Situation?
Natürlich hat sie eine! Hört zu, hier kommt sie schon:

Früher war alles besser.
Früher war alles schön.
Früher war ich jeden Tag im Garten
und hab' die Sonne und den Himmel gesehen.
Früher war alles besser.
Früher war alles fein.
Ich hatte sogar einen Gartenzwergmann
und war nicht so schrecklich allein.

▶ 1 09 **1 Hören Sie das Lied und lesen Sie mit.**
Welche Wörter passen zu den Orten? Lesen Sie den Text noch einmal und notieren Sie. Vergleichen Sie dann mit Ihrer Partnerin / Ihrem Partner.

Keller: dunkel, viele Sachen, ______________________

____

Garten: ______________________

____

▶ 1 09 **2 Hören Sie das Lied noch einmal und singen Sie mit.**

Was darf es sein? 4

Hören/Sprechen: Einkaufen: *Ich hätte gern einen mageren Schinken.*; Vorlieben äußern: *Ich möchte lieber …*

Wortfelder: Lebensmittel, Verpackung und Gewichte

Grammatik: Adjektivdeklination nach indefinitem Artikel: *einen milden Käse*

▶1 10 **1 Sehen Sie das Foto und den Einkaufszettel an und hören Sie.**

Wer hat den Zettel geschrieben und für wen kauft Otto ein? Was meinen Sie?

für die Familie | für Freunde | für Kollegen | für Mitbewohner | …

Käse, mild
ein Brot
zehn Brötchen
drei Dosen Thunfisch
200 g Knoblauchsalami
3 Liter normale Milch
4 Flaschen Eistee
ein Kilo Weintrauben
Pfirsiche
250 g mageren Schinken
je 1x Paprika grün und rot
Salami
eine Packung Tee
2 Gläser Senf

AB **2 Wie / Wie oft kaufen Sie normalerweise ein? Erzählen Sie.**

mit/ohne Einkaufszettel | einmal pro Woche / täglich | hungrig/satt | …

Ich gehe nie hungrig einkaufen, denn sonst kaufe ich zu viel.

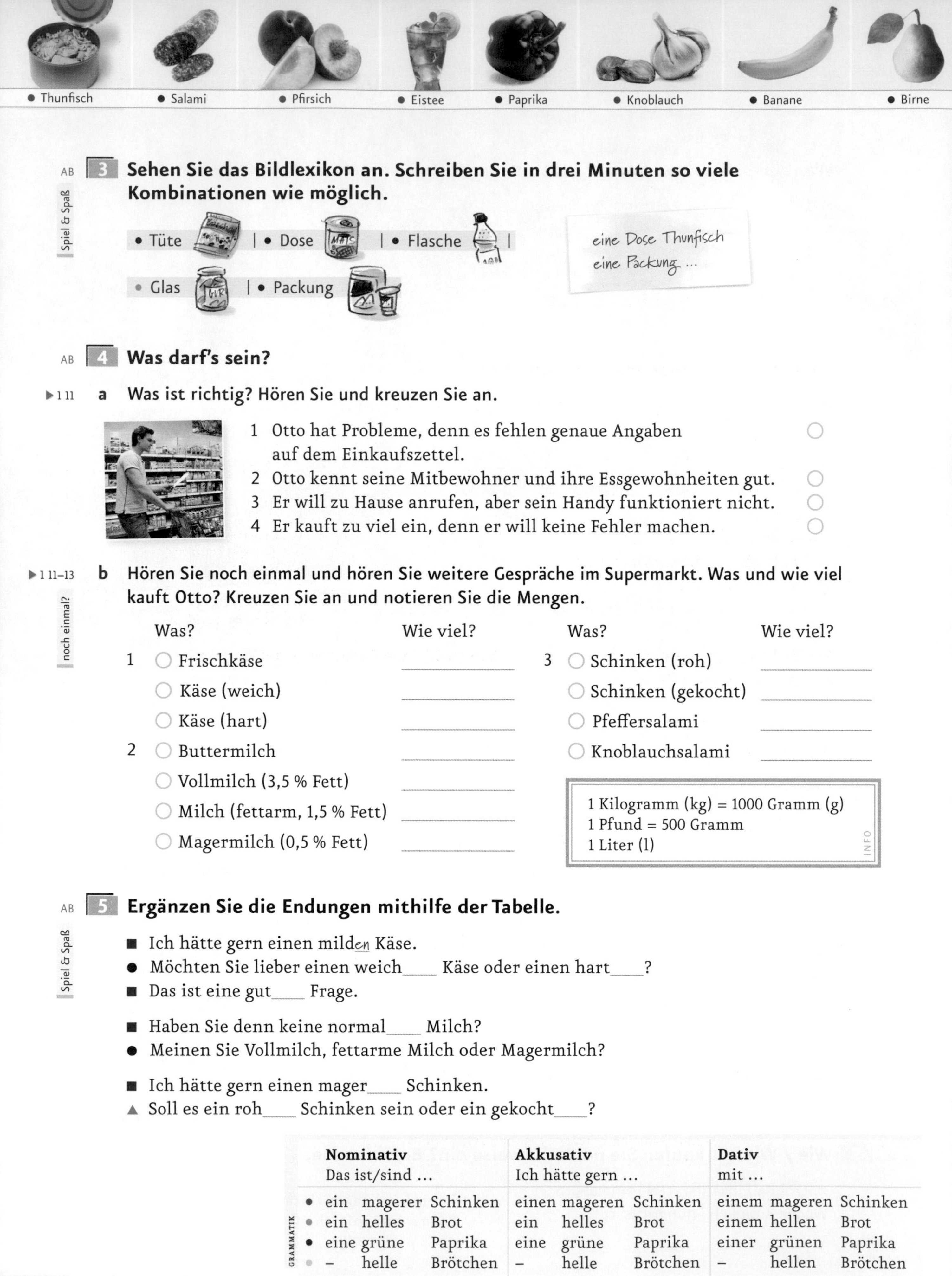

AB **3** Spiel & Spaß

Sehen Sie das Bildlexikon an. Schreiben Sie in drei Minuten so viele Kombinationen wie möglich.

● Tüte | ● Dose | ● Flasche |
● Glas | ● Packung

eine Dose Thunfisch
eine Packung ...

AB **4**

Was darf's sein?

▶ 1 11 **a** **Was ist richtig? Hören Sie und kreuzen Sie an.**

1 Otto hat Probleme, denn es fehlen genaue Angaben auf dem Einkaufszettel. ○
2 Otto kennt seine Mitbewohner und ihre Essgewohnheiten gut. ○
3 Er will zu Hause anrufen, aber sein Handy funktioniert nicht. ○
4 Er kauft zu viel ein, denn er will keine Fehler machen. ○

▶ 1 11–13 **b** **Hören Sie noch einmal und hören Sie weitere Gespräche im Supermarkt. Was und wie viel kauft Otto? Kreuzen Sie an und notieren Sie die Mengen.** noch einmal?

	Was?	Wie viel?		Was?	Wie viel?
1	○ Frischkäse	______	3	○ Schinken (roh)	______
	○ Käse (weich)	______		○ Schinken (gekocht)	______
	○ Käse (hart)	______		○ Pfeffersalami	______
2	○ Buttermilch	______		○ Knoblauchsalami	______
	○ Vollmilch (3,5 % Fett)	______			
	○ Milch (fettarm, 1,5 % Fett)	______			
	○ Magermilch (0,5 % Fett)	______			

INFO
1 Kilogramm (kg) = 1000 Gramm (g)
1 Pfund = 500 Gramm
1 Liter (l)

AB **5** Spiel & Spaß

Ergänzen Sie die Endungen mithilfe der Tabelle.

■ Ich hätte gern einen mild*en* Käse.
● Möchten Sie lieber einen weich___ Käse oder einen hart___?
■ Das ist eine gut___ Frage.

■ Haben Sie denn keine normal___ Milch?
● Meinen Sie Vollmilch, fettarme Milch oder Magermilch?

■ Ich hätte gern einen mager___ Schinken.
▲ Soll es ein roh___ Schinken sein oder ein gekocht___?

GRAMMATIK

	Nominativ Das ist/sind ...	**Akkusativ** Ich hätte gern ...	**Dativ** mit ...
●	ein magerer Schinken	einen mageren Schinken	einem mageren Schinken
●	ein helles Brot	ein helles Brot	einem hellen Brot
●	eine grüne Paprika	eine grüne Paprika	einer grünen Paprika
●	– helle Brötchen	– helle Brötchen	– hellen Brötchen

● Saft ● Bohne ● Mehl ● Marmelade ● Quark ● Cola ●/● Bonbon

AB **6** **Was haben Sie diese Woche gekauft? Machen Sie eine Kettenübung.**

■ Ich habe ein neues Handy gekauft.
● Ich habe ein neues Handy und einen blauen Kugelschreiber gekauft.
▲ Ich habe ein neues Handy, einen blauen Kugelschreiber und eine rote Hose mit einem schwarzen Gürtel gekauft.
▼ …

AB **7** **Ich hätte gern einen mageren Schinken.**

a **Wer sagt das? Notieren Sie K für Kunde/-in und V für Verkäufer/-in.**

(K) Ich hätte gern …
○ Was darf es sein?
○ Möchten Sie lieber … oder …?
○ Ich nehme …
○ Meinen Sie … oder …?
○ Dann geben Sie mir doch bitte …
○ Soll es … oder … sein?
○ Hier, sehen Sie mal: Die sind heute beide im Angebot.

b **Einkaufsgespräche üben. Arbeiten Sie auf Seite 147, Ihre Partnerin / Ihr Partner arbeitet auf Seite 149.**

▶ 1 14 **8** **Warum hast du denn so viel eingekauft?**

a **Hören Sie und korrigieren Sie.**

1 Der Einkauf kostet 29,10 Euro.
2 Jochen und Bruno meinen: Otto hat zu wenig eingekauft.
3 Für Bruno ist fettarme Milch normale Milch.
4 Otto wohnt seit 18 Tagen in der WG.
5 Otto hat ~~sehr gute~~ Nerven, meint Bruno. *keine guten*

Diktat

b **Haben Sie auch schon einmal das Falsche eingekauft? Erzählen Sie.**

Letzten Monat habe ich für drei Personen zwei Kilo grüne Bohnen gekauft. Das war viel zu viel. So haben wir dann die nächsten drei Tage Bohnen gegessen.

MINI-PROJEKT

9 Im Frühstücks-Café

a Sie gehen gemeinsam frühstücken und bestellen für Ihre Partnerin / Ihren Partner. Was isst sie/er gern? Was meinen Sie? Wählen Sie für sie/ihn aus und kreuzen Sie an.

FRÜHSTÜCKSKARTE

FRÜHSTÜCK

KLASSIKER
- Kleines Frühstück (1 Brötchen mit Butter und Marmelade) ☐
- Großes Frühstück (Brotkorb mit 2 Brötchen und 1 Scheibe Brot, dazu: Butter, Marmelade, Käse und Schinken) ☐
- Französisches Frühstück (1 Croissant mit Butter und Marmelade) ☐

EXTRAS
- Ei (weich gekocht / hart gekocht) ☐
- Portion Rührei (klein / groß) ☐
- Obstsalat (klein / groß) ☐
- Croissant ☐
- Brötchen (hell / dunkel) ☐

GETRÄNKE
- Kaffee ☐
- Tee (schwarz / grün) ☐
- Milchkaffee (groß / klein) ☐
- Espresso (einfach / doppelt) ☐
- Milch (warm / kalt) ☐
- Orangensaft (frisch gepresst) ☐

b Haben Sie das Richtige bestellt? Überprüfen Sie Ihre Vermutungen.

■ Ich habe dir ein kleines Frühstück bestellt.
▲ Aber ich mag keine Marmelade. Ich möchte lieber …
■ Ich hoffe, du magst Eier. Ich habe dir nämlich auch ein weich gekochtes Ei bestellt.
▲ Oh ja, weich gekochte Eier esse ich gern.

GRAMMATIK

Adjektivdeklination: indefiniter Artikel

	Nominativ Das ist/sind …	Akkusativ Ich hätte gern …	Dativ mit …
●	ein magerer Schinken	einen mageren Schinken	einem mageren Schinken
●	ein helles Brot	ein helles Brot	einem hellen Brot
●	eine grüne Paprika	eine grüne Paprika	einer grünen Paprika
●	– helle Brötchen	– helle Brötchen	– hellen Brötchen

auch so: kein- / mein- …,
aber: ! Plural: keine/meine hellen Brötchen

KOMMUNIKATION

Einkaufen

Was darf es sein? Kann ich Ihnen helfen?	Ich hätte gern … Ich möchte … Ich brauche …
Möchten Sie lieber … oder …? Meinen Sie … oder …? Soll es … oder … sein? Die sind heute beide im Angebot. Wie viel darf es sein?	Geben Sie mir bitte … Dann nehme ich …
Möchten Sie sonst noch etwas? Darf es noch etwas sein?	Nein, danke. Das ist alles.

Vorlieben äußern

Ich habe dir ein kleines Frühstück / ein weich gekochtes Ei/ … bestellt.	Aber ich mag keine Marmelade. Ich möchte lieber …
Ich hoffe, du magst …	Oh ja, … esse ich gern.

Schaut mal, der schöne Dom! 5

Sprechen: etwas gemeinsam planen: *Wir können ... besichtigen. – Einverstanden.*; etwas berichten: *Danach haben/sind wir ...*

Lesen: Brief, Postkarte, Internet-Eintrag

Schreiben: Postkarte/E-Mail

Wortfeld: Tourismus

Grammatik: Adjektivdeklination nach definitem Artikel: *der berühmte Dom*

1 Stadtbesichtigungen. Notieren Sie Stichwörter und erzählen Sie.

Was interessiert Sie an einer fremden Stadt besonders?
Suchen Sie vor der Reise Informationen zu der Stadt? Wenn ja: wo?

▶1 15 | noch einmal?

2 In Köln: Sehen Sie das Foto an und hören Sie.

Wer möchte was? Oma | Mutter | Tochter

a Die ____________ findet Museen und Kirchen langweilig. Sie macht die Dom-Führung aber doch mit, denn der Reiseführer gefällt ihr.

b Die ____________ möchte den Kölner Dom mit dem neuen Fenster von Gerhard Richter besichtigen.

c Die ____________ hat eine Dom-Führung für die Familie gebucht und hat viele Informationen über den Dom.

geöffnet/offen

geschlossen

• Führung

• Reiseführer

• Reiseführer

• Sehenswürdigkeit

• Tourist

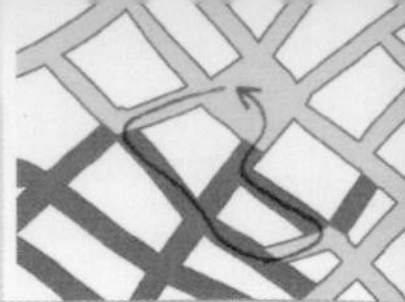

• Rundgang

AB **3** **Arbeiten Sie zu zweit. Sehen Sie das Bildlexikon an und schreiben Sie fünf Sätze wie im Beispiel.**

Tauschen Sie die Sätze mit einem anderen Paar. Ergänzen Sie nun die Wörter. Sehen Sie dabei nicht ins Bildlexikon.

Köln hat viele Sehens_ _ _ _ _ _ _ _ _ _ _ _ _.
Das Museum ist ab 18.00 Uhr _ _ _ _ _ _ _ _sen.

AB **4** **Viele Grüße aus Köln**

a **Überfliegen Sie die Texte. Wer schreibt was an wen? Ordnen Sie zu.**

Die Oma schreibt	eine Postkarte	an ihren Mann.
Die Mutter schreibt	eine Facebook-Nachricht	an ihre Freundin.
Die Tochter schreibt	einen Brief	an ihren Mann.

b **Richtig oder falsch? Lesen Sie und kreuzen Sie an. Schreiben Sie dann sechs eigene Sätze zu den Texten und tauschen Sie mit Ihrer Partnerin / Ihrem Partner.**

		richtig	falsch
1	Jutta freut sich am meisten auf den Ausflug mit dem Schiff.	○	○
2	Melanie hat Charlottes Kamera im Hotel abgegeben.	○	○
3	Charlotte ärgert sich: Sie hat ihre neue Kamera im Dom vergessen.	○	○

Köln, 22. Juli

Mein lieber Paul,
nun sind wir also im schönen Köln angekommen. Der berühmte Dom ist wirklich sehenswert. Wir haben eine Führung gemacht. Sogar Charlotte hat mitgemacht und dem netten Reiseführer ein Loch in den Bauch gefragt. Das bunte Richter-Fenster hat mir nicht so gut gefallen. Es ist mir zu abstrakt. Besonders gut haben mir das Römisch-Germanische Museum und das Museum Ludwig gefallen. Du siehst: Wir haben schon viele Sehenswürdigkeiten besichtigt. Aber der Höhepunkt wartet noch auf uns: eine Schifffahrt auf dem Rhein! Das wird bestimmt toll. Denn du weißt ja: Eine Rheinfahrt, die ist lustig, eine Rheinfahrt, die ist schön …
Liebe Grüße
Deine Jutta

Lieber Schatz!
Viele Grüße aus „Kölle". Die Stadt ist großartig, die Leute nett, das Wetter wunderbar. Leider hat unsere Tochter gleich am ersten Tag ihre neue Kamera im Dom liegen gelassen. Aber zum Glück hat der nette Reiseführer sie wiedergefunden und im Hotel abgegeben. Ich freue mich auf dich.
1000 Küsse Melanie

Charlotte

Hallo Süße! Bin gerade in Köln und habe den alten Dom besichtigt. Eigentlich langweilig, aber mit diesem Reiseführer ein großer Spaß! Habe die neue Kamera extra im Dom liegen gelassen. Er hat sie gefunden und mir ins Hotel gebracht. Zum Dank habe ich ihn auf eine Cola eingeladen. Wir sind in den besten Club der Stadt gegangen. Das war der schönste Abend der Ferien. Dickes Bussi!
Gestern um 14:32 Antworten

besichtigen

● Prospekt

● Kamera

● Unterkunft

● Trinkgeld

● Geld wechseln

● Schifffahrt

AB **5** **Der berühmte Dom ist wirklich sehenswert.**

interessant?

a *-e* oder *-en*? Markieren Sie die Adjektive nach definitem Artikel in den Texten in **4** und ergänzen Sie die Tabelle.

GRAMMATIK

	Nominativ Mir gefällt/gefallen …			**Akkusativ** Ich finde … toll			**Dativ** mit …		
●	der	berühmte	Dom	den	alt___	Dom	dem	nett___	Reiseführer
●	das	bunt___	Fenster	das	bunte	Fenster	dem	bunten	Fenster
●	die	neue	Kamera	die	neu___	Kamera	der	neuen	Kamera
●	die	netten	Leute	die	netten	Leute	den	netten	Leuten

Spiel & Spaß

b Sie sind als Tourist in Köln. Notieren Sie Ihre Interessen.

Was gefällt Ihnen?	das alte Rathaus, …
Was finden Sie uninteressant?	den berühmten Dom
Wo sind Sie am Abend?	in dem schicken Club

Dom – berühmt

Restaurant – deutsch

Club – schick

6 **Adjektiv-Quartett. Arbeiten Sie zu viert auf Seite 148.**

Brauhaus – traditionell

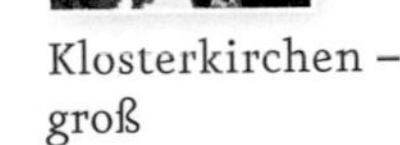
Klosterkirchen – groß

AB **7** **Sie bekommen für ein Wochenende (Samstag/Sonntag) Besuch von einer Freundin / einem Freund.**

Diktat

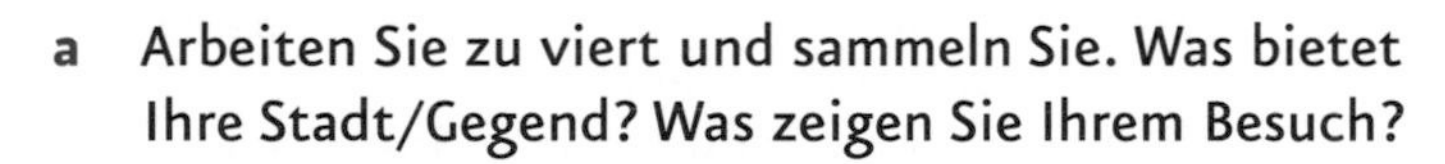

a Arbeiten Sie zu viert und sammeln Sie. Was bietet Ihre Stadt/Gegend? Was zeigen Sie Ihrem Besuch?

■ Ich gehe mit meinem Besuch meistens ins Filmmuseum. Da gibt es oft interessante Ausstellungen.
● Ich zeige meinem Besuch immer den alten Kaiserdom. …

Filmmuseum
der alte Kaiserdom
…

Beruf

b Was machen Sie wann? Planen Sie nun das Wochenende.

KOMMUNIKATION

Wollen wir zuerst / danach / am Samstagabend … besichtigen/ansehen?
Und am Sonntag können wir in/ins … gehen.
… ist wirklich sehenswert/beeindruckend/toll/…
Das wird bestimmt …
… gefällt unserem Besuch bestimmt/sicher.
Was denkst du / denkt ihr?

☺	☹
Ja, das ist eine gute Idee.	Das können wir doch später auch noch machen.
Einverstanden.	Wollen wir nicht lieber zuerst/danach/am Abend …
Ich bin (auch) dafür. Gute Idee!	Ich bin dagegen. / Muss das sein? Das ist doch langweilig.
Ja gut, machen wir es so.	Ich finde das nicht so gut.
Also gut.	

Samstag	Sonntag
Filmmuseum	
…	

c Präsentieren Sie Ihr Wochenende im Kurs.

Zuerst gehen wir ins Filmmuseum. Danach …

AB 8 **Etwas schriftlich vorschlagen**

Comic

Schlagen Sie Ihrer Freundin / Ihrem Freund aus 7 vor, was Sie am Wochenende alles machen können. Schreiben Sie ihr/ihm eine Postkarte oder eine E-Mail. Verwenden Sie Ihre Planung aus 7.

... besichtigen/ansehen | in/ins ... gehen | ... ist wirklich sehenswert/beeindruckend/toll/... | ... gefällt Dir bestimmt/sicher. | Das wird bestimmt ...

Liebe/Lieber ...
ich freue mich schon sehr auf das Wochenende
und ich habe auch schon Pläne gemacht:
Am Samstag können wir zuerst ...
Danach ...
Am Nachmittag ...
Am Abend ...
Und am Sonntag ...
Was denkst Du? Einverstanden?
Oder hast Du andere Wünsche?
Liebe/Viele Grüße

Audiotraining | Karaoke

GRAMMATIK

Adjektivdeklination: definiter Artikel

	Nominativ Mir gefällt / gefallen ...	Akkusativ Ich finde ... am besten.	Dativ mit ...
•	der berühmte Dom	den alten Dom	dem netten Reiseführer
•	das bunte Fenster	das bunte Fenster	dem bunten Fenster
•	die neue Kamera	die neue Kamera	der neuen Kamera
•	die netten Leute	die netten Leute	den netten Leuten

KOMMUNIKATION

etwas gemeinsam planen

Wollen wir zuerst / danach / am Samstagabend ... besichtigen/ansehen?
Und am Sonntag können wir in/ins ... gehen.
... ist wirklich sehenswert/beeindruckend/toll/...
Das wird bestimmt ...
... gefällt unserem Besuch bestimmt/sicher.
Was denkst du / denkt ihr?

☺
Ja, das ist eine gute Idee. Einverstanden.
Ich bin (auch) dafür. Gute Idee!
Ja gut, machen wir es so.
Also gut.

☹
Das können wir doch später auch noch machen.
Wollen wir nicht lieber zuerst/danach/ am Abend ...
Ich bin dagegen. / Muss das sein? Das ist doch langweilig.
Ich finde das nicht so gut.

etwas berichten

Zuerst gehen wir in/ins ... Danach ...

Meine Lieblingsveranstaltung 6

1 Sehen Sie das Foto an. Welche Wörter passen?
Notieren Sie in drei Minuten so viele Begriffe wie möglich. Vergleichen Sie dann im Kurs.

Kostüm, Feuer ...

▶ 1 16 **2 Sehen Sie das Foto an und hören Sie.**
Was für ein Fest ist das? Was meinen Sie?

○ ein Theaterfestival
○ ein Karnevalsfest
○ ein Mittelalterfest

Hören/Sprechen: etwas vorschlagen / sich verabreden: *Wie wäre es mit ...?*; einen Vorschlag ablehnen: *Das ist keine so gute Idee.*; zustimmen / sich einigen: *Aber gern.*

Lesen: Leserbeiträge

Schreiben: Veranstaltungskalender

Wortfeld: Veranstaltungen

Grammatik: temporale Präpositionen: *über 30 Jahre, von morgen an, ...*

• Eintritt • Eintrittskarte • Ermäßigung • Künstler • Star • Bühne • Veranstaltung • Kunst

AB **3** **Tolle Events in Deutschland, Österreich und in der Schweiz**

a **Überfliegen Sie die Leserbeiträge. Zu welcher Veranstaltung passt das Foto auf Seite 35?**

Spiel & Spaß

b **Lesen Sie noch einmal und notieren Sie Stichwörter zu den Fragen. Hilfe finden Sie im Bildlexikon.**

	(A)	(B)	(C)	(D)
1 Was für eine Veranstaltung ist das?	*Hip-Hop-Fest*			
2 Was kann man auf der Veranstaltung erleben/sehen/machen?				
3 War die Leserin / der Leser schon dort?				

Tolle Events in Deutschland, Österreich und in der Schweiz
Leserinnen und Leser stellen ihre Lieblingsveranstaltungen im Sommer vor

(A) OPEN AIR FRAUENFELD

Vom 8. bis zum 10. Juli bin ich auf dem Open Air Frauenfeld. Das ist das größte Hip-Hop-Fest in Europa. Es findet seit 1985 jedes Jahr im Sommer statt. Ich bin schon dreimal dort gewesen und habe viele tolle Konzerte erlebt. Mit deutschsprachigen Künstlern wie Jan Delay, Culcha Candela oder Die Fantastischen Vier. Aber auch mit internationalen Stars wie Eminem, Ice Cube und 50 Cent. Letztes Jahr waren 150.000 Leute da. Mal sehen, wie viele es dieses Jahr werden.

(B) KIELER WOCHE

Nächste Woche fahre ich nach Kiel. Von morgen an findet dort die berühmte Kieler Woche statt. Das ist eines der größten Segelsport-Events weltweit. Aber neben dem Segeln steht auch die Musik im Mittelpunkt, mit 300 Konzerten auf 16 Bühnen. Die Veranstaltung dauert zehn Tage. Am vorletzten Tag ist immer die berühmte Windjammerparade. Da sind mehr als hundert große Segelschiffe und ganz viele kleinere Yachten auf dem Meer! Das möchte ich schon seit Jahren mal sehen.

(C) ARS ELECTRONICA

Die Ars Electronica ist das weltweit wichtigste Festival für digitale Kunst. Sie findet seit 1979 jedes Jahr in Linz statt, dieses Jahr vom 31. August bis zum 6. September. Es gibt viele Ausstellungen, Konzerte, Performances, Vorträge und Diskussionsrunden. Ich gehe seit zehn Jahren fast jedes Jahr hin. Mich fasziniert die Verbindung von Wissenschaft, Technik, Musik, Video, Computeranimation und so weiter. Experten und Interessierte aus der ganzen Welt stellen hier Zukunftsfragen und diskutieren Zukunftsprobleme. Das finde ich sehr spannend.

(D) LANDSHUTER HOCHZEIT

Ich liebe historische Feste, mit Musik, Tanz und Originalkostümen. Besonders schön ist die Landshuter Hochzeit. In Landshut hat die polnische Königstochter Hedwig 1475 den bayerischen Herzog Georg geheiratet. Die Hochzeitsfeier hat sechs Tage lang gedauert und war eine der größten und schönsten im ganzen Mittelalter. Alle vier Jahre spielen die Landshuter sie mit 2000 Darstellern nach. Zum letzten Mal habe ich die Landshuter Hochzeit als Jugendlicher gesehen. Das ist nun schon über 30 Jahre her.

interessant?

c **Welche Veranstaltung würde Sie interessieren? Erzählen Sie.**

AB

4 Das möchte ich schon seit Jahren mal sehen.

Beruf

a Markieren Sie *von ... bis, von ... an, über* und *seit* in den Leserbeiträgen in 3 und ergänzen Sie.

GRAMMATIK

Wie lange?
X————————X
______ 8. ______ zum 10. Juli

Ab wann?
O————X————X
jetzt Beginn
______ morgen ______
vom 1. Januar an

Seit wann?
X————————X
Vergangenheit jetzt
______ 1979 / Juli

Wie lange?
(——————)
= länger / mehr als / ______ 30 Jahre

b Nach Zeiträumen fragen. Arbeiten Sie zu viert: Paar A arbeitet auf Seite 150, Paar B auf Seite 152.

▶ 1 17–18

5 Okay, das machen wir!

a Zu welcher Veranstaltung aus 3 wollen Tim und Ludmilla? Hören Sie und ergänzen Sie.

1 Tim will zum ______________________. 2 Ludmilla will zur ______________________.

noch einmal?

b Was ist richtig? Hören Sie noch einmal und kreuzen Sie an.

1 Tim und Anja brauchen noch zwei Eintrittskarten. ○
2 Sylvie fährt nicht mit in die Schweiz. ○
3 Anja kommt mit in die Schweiz. ○
4 Ludmilla und Britta können bei Laura übernachten. ○
5 Als Student muss man nur 45 Euro zahlen. ○
6 Ludmilla und Britta sprechen später noch einmal. ○

AB

6 Möchtest du vielleicht mitkommen?

a Ordnen Sie die Sätze zu.

Möchtest du vielleicht mitkommen? | Was hältst du davon? | Wollen wir noch einen Treffpunkt ausmachen? | Hast du am ... Zeit? | Ja, gut dann treffen wir uns um ... am ... | Okay, das machen wir. | Lass uns doch ... | Wie wäre es mit ...? | Ja okay, das passt auch. | Darf ich etwas vorschlagen? | Geht es bei dir am/um ...? | Sehr nett, aber da kann ich leider nicht. | Also, ich weiß nicht. Das finde ich nicht so interessant. | Aber gern. | Das ist keine so gute Idee. Ich würde lieber ... | Willst du zu/zum/zur ... mitkommen? Du hast doch gesagt, das würde dich interessieren.

etwas vorschlagen / sich verabreden	einen Vorschlag ablehnen	zustimmen / sich einigen
Was hältst du davon? Wollen wir noch einen Treffpunkt ...?		

b Sich verabreden. Arbeiten Sie zu zweit auf Seite 151.

MINI-PROJEKT

AB **7 Meine Lieblingsveranstaltung**

a Machen Sie Notizen zu den Fragen. Hilfe finden Sie im Bildlexikon.

1 Was ist Ihre Lieblingsveranstaltung?
2 Was kann man auf der Veranstaltung erleben/sehen/machen/...?
3 Wann findet die Veranstaltung statt?
4 Seit wann gibt es die Veranstaltung?
5 Wie oft waren Sie schon dort?
6 Was gefällt Ihnen besonders gut?

Diktat

b Schreiben Sie einen Text und machen Sie einen Veranstaltungskalender im Kurs.

Meine Lieblingsveranstaltung ist ... | Das ist ... | Es/Er/Sie ... findet seit ... jedes Jahr / alle vier Jahr im ... in ... statt. | Dieses Jahr bin ich / fahre ich vom ... bis zum ... nach ... | Es gibt viele ... und ... | Ich war letztes Jahr das erste Mal dort/ da / ... | Am besten gefällt mir ... / Sehr spannend/ interessant finde ich ...

GRAMMATIK

Audiotraining | Karaoke

temporale Präpositionen von ... an, von ... bis, seit + Dativ	
Ab wann? ○—X—►X	**Wie lange?** X——►X
von morgen an	vom 8. bis zum 10. Juli
vom 1. Januar an	seit 1985

	Wie lange? X——►X	
●	seit	einem Monat
●		einem Jahr
●		einer Stunde
●		zwei Jahren

temporale Präposition über + Akkusativ		
	Wie lange? (——)	
●	über	einen Monat
●		ein Jahr
●		eine Stunde
●		30 Jahre

KOMMUNIKATION

etwas vorschlagen / sich verabreden
Möchtest du vielleicht mitkommen? Was hältst du davon? Lass uns doch ... Darf ich etwas vorschlagen? Willst du zu/zum/zur ... mitkommen? Du hast doch gesagt, das würde dich interessieren. Hast du am ... Zeit? Wie wäre es mit ...? Geht es bei dir am/um ...? Wollen wir noch einen Treffpunkt ausmachen? Ja gut, dann treffen wir uns um ... am ...

einen Vorschlag ablehnen
Sehr nett, aber da kann ich leider nicht. Das ist keine so gute Idee. Ich würde lieber ... Also, ich weiß nicht. Das finde ich nicht so interessant.

zustimmen / sich einigen
Aber gern. Okay, das machen wir. Ja okay, das passt auch.

PRINZESSINNENGÄRTEN

die *Grüne Revolution* oder *Gärtnern in der Stadt*

Spinat wächst nicht in Würfeln. Das weiß Marlene, seit sie im Prinzessinnengarten war. Denn der Prinzessinnengarten ist kein Schlosspark, sondern ein Gemüsegarten. Mitten in der Stadt. Genauer: in Berlin-Kreuzberg.

2009 fängt alles an. Über 100 Nachbarn und Freunde treffen sich auf dem leeren Grundstück an der Prinzessinnenstraße. Sie räumen auf und machen aus dem Gelände einen ökologischen Nutzgarten mit 100 Beeten.

Seit 2010 gibt es auch einen Kartoffelacker, noch mehr Beete und ein Tomatenhaus. Das Konzept ist einfach: Jeder kann mitmachen. Niemand hat sein eigenes Beet. Alle arbeiten gemeinsam am Projekt.

Das Arbeiten und Leben mit den vier Jahreszeiten bringt Ruhe in die laute Stadt. Das gefällt nicht nur den Nachbarn. Immer mehr Touristen besuchen die kleine Oase in Kreuzberg. Das Gemüse in Bio-Qualität kann jeder ernten und kaufen. Oder essen – im eigenen Gartencafé. Auf der Speisekarte stehen so leckere Gerichte wie Gartenpizza mit frischen Kräutern aus den Beeten oder Kürbisrisotto.

Kinder lernen, wie gut Gemüse schmeckt, wenn es nicht aus dem Supermarkt kommt. Und jeder Euro fließt zurück ins Projekt.

Alle Pflanzen im Prinzessinnengarten wachsen in Kisten, Säcken oder alten Milchtüten. So kann man die Beete im Notfall transportieren. Das ist wichtig, denn die Zukunft urbaner Gärten ist oft ungewiss. Umzug nicht ausgeschlossen. Erst machen die Gärten aus grauen Stadtvierteln lebenswerte Orte. Dann steigen die Grundstückspreise und die Stadt kann das Gelände teuer verkaufen. Ein Teufelskreis.

Aber egal ob hier oder anderswo: Die Idee des gemeinsamen Gärtnerns bleibt. Damit Kinder wie Marlene Spinat nicht nur tiefgefroren kennen.

1 Was ist richtig? Lesen Sie den Text und kreuzen Sie an.

a Der Prinzessinnengarten ist ein ○ Schlosspark. ○ Gemüsegarten.
b Alle können ○ ein eigenes Beet kaufen. ○ in dem Garten mitarbeiten.
c ○ Alle Menschen ○ Nur Touristen können das Bio-Gemüse ernten und kaufen.
d In dem Garten gibt es auch ○ ein Café. ○ einen Supermarkt.
e Das Grundstück gehört ○ der Stadt. ○ dem Projekt.
f Der Prinzessinnengarten muss ○ vielleicht ○ sicher umziehen.

2 Und Sie? Gärtnern Sie auch? Erzählen Sie.

▶ Clip 2 **1** **In München**

a **Sehen Sie den Anfang des Films ohne Ton (bis 0:57). Was sehen Sie auf dem Spaziergang von Melanie und Lena? Kreuzen Sie an.**

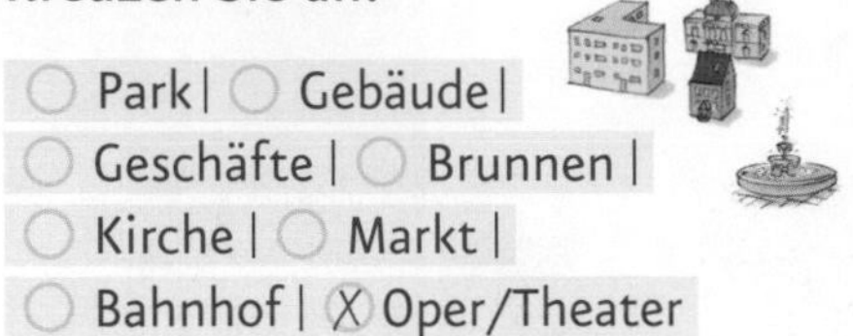

○ Park | ○ Gebäude | ○ Geschäfte | ○ Brunnen | ○ Kirche | ○ Markt | ○ Bahnhof | ⊗ Oper/Theater

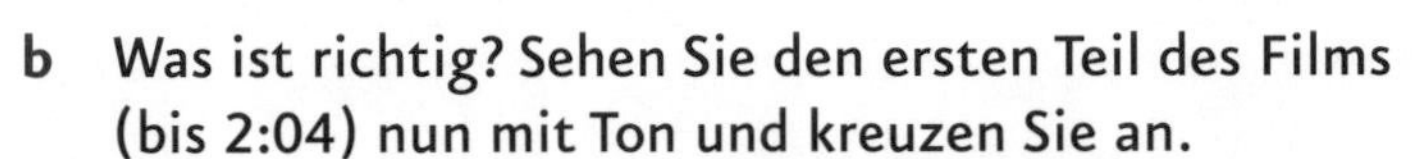

b **Was ist richtig? Sehen Sie den ersten Teil des Films (bis 2:04) nun mit Ton und kreuzen Sie an.**

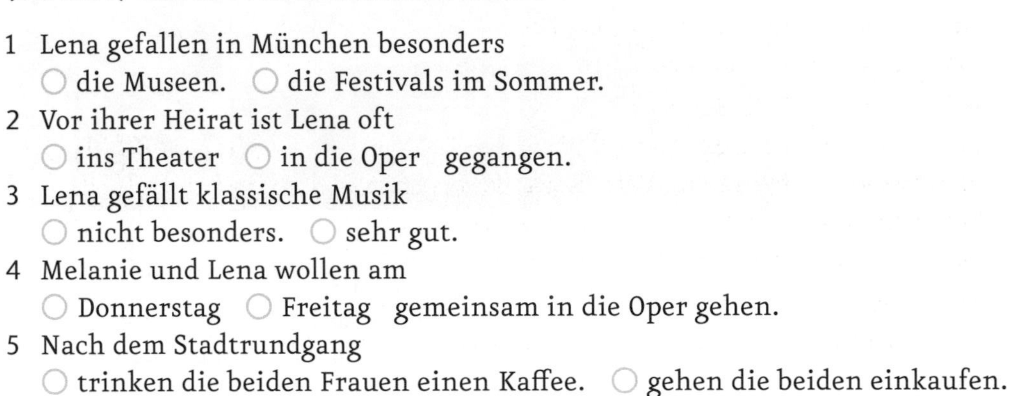

1 Lena gefallen in München besonders
○ die Museen. ○ die Festivals im Sommer.
2 Vor ihrer Heirat ist Lena oft
○ ins Theater ○ in die Oper gegangen.
3 Lena gefällt klassische Musik
○ nicht besonders. ○ sehr gut.
4 Melanie und Lena wollen am
○ Donnerstag ○ Freitag gemeinsam in die Oper gehen.
5 Nach dem Stadtrundgang
○ trinken die beiden Frauen einen Kaffee. ○ gehen die beiden einkaufen.

▶ Clip 2 **2** **Auf dem Markt**

a **Sehen Sie den Film weiter (ab 2:05) und markieren Sie. Was kauft Lena?**

Äpfel | Tomaten | Zucchini | rote Paprika | grüne Paprika | gelbe Paprika | Pfirsiche | Nektarinen | Erdbeeren | Blumen | Fisch | Käse | Salat

b **Warum kauft Lena so viel ein?**

c **Und Sie? Wann hatten Sie zuletzt Gäste zum Essen? Was haben Sie eingekauft? Erzählen Sie.**

Am Freitag vor zwei Wochen hatte ich zwei Freunde zu Besuch. Wir haben gemeinsam Pizza gemacht. Dafür habe ich ... gekauft.

1 Willkommen in Wien: Lesen Sie und ordnen Sie die Fotos zu.

» Willkommen in Wien!

Sehenswürdigkeiten & Museen

1 

2 

3 

Unser Top-Tipp:
Besuchen Sie Schloss Schönbrunn. Hier hat Kaiserin Sisi im Sommer gewohnt. In Schönbrunn finden Sie neben dem barocken Schloss eine wundervolle Parklandschaft und den ältesten Tiergarten der Welt.

○ Schloss Schönbrunn ist aus dem Jahr 1642. 1830 wird Kaiser Franz Joseph in dem Schloss geboren. Mit seiner Frau Sisi hat der Kaiser im Sommer hier gewohnt. Heute gehört das Schloss zum Unesco-Weltkulturerbe. Es hat 1441 Räume, davon können Besucher 45 Räume besichtigen.

Kaiserin Sisi

○ Im wundervollen Park Schönbrunn spazieren Sie durch lange Alleen. Hier finden Sie neben Statuen und Brunnen viele prächtige Blumenbeete. Besuchen Sie das Palmenhaus oder den Irrgarten.
Tipp: Wer die Parklandschaft Schönbrunn nicht zu Fuß besichtigen möchte, steigt am besten in die Panoramabahn.

○ Den Tiergarten Schönbrunn gibt es seit 1752. Heute ist er einer der modernsten und besten Zoos mit mehr als 500 Tierarten. Der Zoo wächst jedes Jahr, hat aber auch heute noch historischen Charme.

2 Unser Top-Tipp in Wien

a Arbeiten Sie zu dritt und wählen Sie eine Wiener Sehenswürdigkeit. Sammeln Sie Informationen und Bilder und machen Sie Notizen zu den Fragen.

1 Seit wann gibt es die Sehenswürdigkeit?
2 Was hat man dort früher gemacht? Oder: Was kann man dort heute machen?

b Schreiben Sie einen Text wie in 1 und präsentieren Sie Ihren Top-Tipp im Kurs.

KOMMUNIKATION

Unser Top-Tipp ist ...
Schloss Schönbrunn/... gibt es seit / ist aus dem Jahr ...
Früher hat ... dort gewohnt / war dort ...
Heute kann man ... besichtigen.
Besuchen Sie / Besucht ...
Hier finden Sie / findet ihr ...
Das Schloss / ... gehört heute zu ...
Der Tiergarten / ... ist heute ...

UNSER TOP-TIPP!
Besuchen Sie die Hofburg. Hier ...

Die superschnelle Stadtrundfahrt

Hallo, meine sehr geehrten Damen und Herren.
Mein Name ist Carolina Barth.
Ist das nicht ein ____________ heute?
Perfekt für eine ____________!

Sehen Sie mal, da drüben: das ____________,
gebaut im Jahr neunzehnhundertzehn.
Und jetzt fahren wir über die ____________.
Sie ist ganz aus Stein und wunderschön.

REFRAIN

Das ist die superschnelle Stadtrundfahrt,
Sie dauert insgesamt nur zwei Minuten zehn.
Am Ende haben Sie eine volle Stunde gespart
und alle Sehenswürdigkeiten gesehen.

Hier vorne kommt jetzt ein wichtiger Platz,
1804 ist nämlich Goethe hier gewesen.
Sehen Sie mal da drüben: das ____________.
Dort hat er eine ____________ gegessen.

Die ____________ rechts, das ist der Dom,
dann ein hübscher ____________ und etwas links davon
ein ____________, ein ____________:
Beethoven ist's, der junge Ludwig van.

▶1 19 **1 Ergänzen Sie den Liedtext. Hören Sie dann und vergleichen Sie.**

alte Brücke | große Kirche | heiße Wurst | interessantes Denkmal | kleiner Park | kleine Restaurant | neue Rathaus | superschnelle Stadtrundfahrt | weltberühmter Mann | ~~wichtiger Platz~~ | wunderbares Wetter

▶1 19 **2 Spielen Sie die Situation mit. Hören Sie dabei das Lied.**

3 Eine superschnelle Stadtrundfahrt in Ihrer Stadt / in einer Stadt Ihrer Wahl
Welche Sehenswürdigkeiten würden Sie zeigen?

das Kloster, ...

Wir könnten montags joggen gehen. 7

Hören/Sprechen: um Rat bitten: *Welche Sportart sollte ich machen?*; Ratschläge geben / Vorschläge machen: *Wir könnten montags joggen gehen.*
Lesen: Fitness- und Ernährungsplan
Schreiben: Forumsbeitrag
Wortfeld: Sportarten
Grammatik: Konjunktiv II: *könnte, sollte*; temporale Präposition *zwischen*; temporale Adverbien: *montags*

1 Sehen Sie das Foto an und antworten Sie. Was meinen Sie?

Wer sind die Personen? Warum laufen sie zusammen?

▶ 1 20 **2 Sehen Sie das Foto an und hören Sie. Was ist richtig?**

	DER MANN	DIE FRAU	
a	○	○	möchte abnehmen.
b	○	○	arbeitet als Trainer/-in.
c	○	○	meint: zwei Kilometer sind nicht so viel.
d	○	○	braucht eine Pause.

Basketball Volleyball Handball Gewichtheben Fitnesstraining Judo Badminton

▶1 21 AB

3 Wann fangen wir an?

a Was ist richtig? Hören Sie und kreuzen Sie an.

Herr Peters …

… möchte circa ◯ 8 Kilo ◯ 4 Kilo weniger wiegen.
… möchte sich ◯ zwischen sieben und Viertel nach sieben ◯ nicht so früh zum Schwimmen treffen.
… isst abends gern ◯ Nudeln. ◯ Fleisch.
… möchte ◯ sofort ◯ später einen Termin vereinbaren.
… möchte ◯ mit Amelie trainieren. ◯ von Amelie ein Buch leihen.
… möchte lieber ◯ im Schlaf ◯ beim Sport abnehmen.

GRAMMATIK
abend**s** = jeden Abend
auch so: nachts, morgens … / montags, dienstags …

GRAMMATIK
Wann?
zwischen 7:00 und 7:15 Uhr

noch einmal?

b Was schlägt die Trainerin vor? Hören Sie noch einmal und ergänzen Sie den Fitnessplan.

Fitness- und Ernährungsplan Herr Peters:

	Montag	Dienstag	Mittwoch	Donnerstag	Freitag
vormittags Sport					Aqua-Fitness
Mittagessen	Salat mit Hühnchenbrust	Spinat mit Spiegelei	Kartoffelsuppe	Quark mit Kartoffeln	gekochtes Gemüse mit Reis
Abendessen	Gemüsesuppe	Paprikagemüse	Tomatensalat	Zwiebelsuppe	Rinderfilet

Wichtig: Das Training sollte regelmäßig und immer zur selben Zeit stattfinden.
Ausruhen nicht vergessen.
Auf gesunde Ernährung achten.
Zwischen 20 Uhr und 6 Uhr sollten Sie nichts essen.
Das Training sollte Spaß machen! ☺

GRAMMATIK
Vorschläge und Ratschläge

ich	könnte	sollte
er/sie	könnte	sollte
wir	könnten	sollten

Spiel & Spaß

c Ordnen Sie zu.

a Okay, dann sollten wir mal — über Ihren Fitnessplan sprechen.
b Wir könnten montags und mittwochs
c Dienstags und donnerstags könnten
d Und abends sollten

Sie keine Kohlenhydrate mehr essen.
wir schwimmen gehen.
über Ihren Fitnessplan sprechen.
joggen gehen.

4 Was sollte Herr Peters machen?

a Welche Ratschläge gibt die Trainerin? Sprechen Sie über den Fitnessplan in 3b.

■ Die Trainerin sagt, Herr Peters sollte montags und mittwochs …
● Ja, und am Montagabend sollte er … essen.

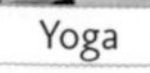

b **Welche Vorschläge haben Sie?**

■ Herr Peters könnte abends auch noch Sport machen.
▲ Außerdem könnte er am Wochenende ...

AB Spiel & Spaß

5 Sportarten raten

Sehen Sie das Bildlexikon zwei Minuten lang an. Schließen Sie dann Ihr Buch. Spielen Sie eine Sportart pantomimisch vor. Die anderen raten.

■ Meinst du Tischtennis?
● Nein.
▲ Oder Badminton?
■ Ja, genau.

AB interessant?

6 Was für ein Sporttyp sind Sie?

a **Kreuzen Sie an und ergänzen Sie den Fragebogen.**

MEIN SPORTPROFIL	stimmt	stimmt nicht
Ich bin groß.	○	○
Ich bin schnell.	○	○
Ich bin gern an der frischen Luft.	○	○
Ich mache gern allein Sport.	○	○
Ich mache gern im Verein mit anderen zusammen Sport.	○	○
Ich bin zeitlich flexibel.	○	○
Ich habe nur wenig Zeit.	○	○
Ich möchte etwas für meine Gesundheit tun.	○	○
Ich möchte an Wettkämpfen teilnehmen.	○	○
Ich möchte Spaß haben.	○	○
______________________	○	○
______________________	○	○
______________________	○	○

Diktat

b **Erzählen Sie Ihrer Partnerin / Ihrem Partner von Ihrem Sportprofil. Welche Sportart kann sie/er Ihnen empfehlen?**

■ Ich bin nicht besonders groß und nicht sehr schnell. Am liebsten bin ich an der frischen Luft und ... Welche Sportart würdest du mir empfehlen?
● Du könntest rudern. Dann bist du draußen an der frischen Luft.

KOMMUNIKATION
Welche Sportart sollte ich machen / würdest du mir empfehlen / passt zu mir?
Ich möchte gern Sport machen. Hast du einen Tipp für mich?
Mach doch ...! / Du solltest ... / Du könntest auch ... / An deiner Stelle würde ich ... / Wie wäre es mit ...?

7 Forum – Abnehmen: Geben Sie Ratschläge.

Arbeiten Sie zu zweit auf Seite 153.

SPRECHTRAINING

AB **8** **Der innere Schweinehund**

a Was nehmen Sie sich immer wieder vor und schaffen es nicht? Notieren Sie.

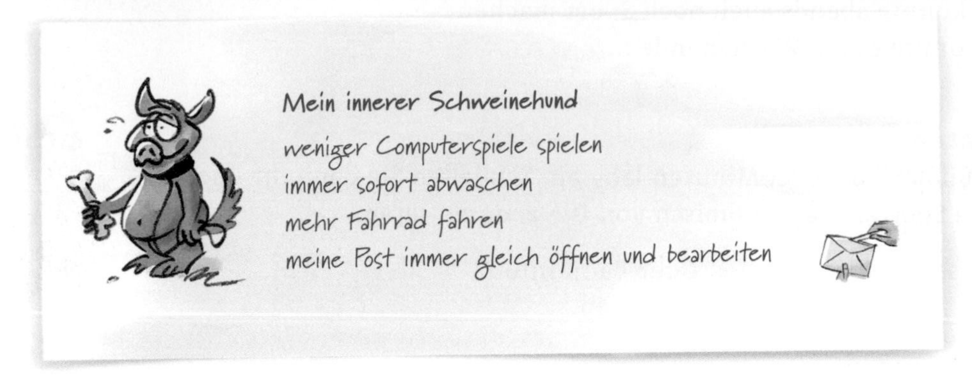

b Arbeiten Sie zu viert und vergleichen Sie.
Welche Gemeinsamkeiten und Unterschiede gibt es?

- ■ Ich würde gern mehr Fahrrad fahren. Das macht fit und ist gesund.
- ▲ Ja, das stimmt. Ich fahre jeden Tag Fahrrad.
- ● Ich fahre nur selten Fahrrad. Ich laufe lieber oder nehme den Bus.

Audiotraining | Karaoke

GRAMMATIK

temporale Adverbien

abend**s** = jeden Abend
auch so: nachts, morgens, … montags, dienstags, …

temporale Präposition *zwischen* + Dativ

Wann?
zwischen 7:00 und 7:15 Uhr 

Vorschläge und Ratschläge: Konjunktiv II von *können*, *sollen*

	können	sollen
ich	könnte	sollte
du	könntest	solltest
er/es/sie	könnte	sollte
wir	könnten	sollten
ihr	könntet	solltet
sie/Sie	könnten	sollten

KOMMUNIKATION

um Rat bitten

Welche Sportart sollte ich machen / würdest du mir empfehlen / passt zu mir?

Ich möchte gern Sport machen. Hast du einen Tipp für mich?

Ratschläge geben / Vorschläge machen

Und abends sollten Sie keine Kohlenhydrate mehr essen.

Er/Sie sollte / Du solltest …

Er/Sie könnte / Du könntest aber auch …

An seiner/ihrer/deiner Stelle würde ich …

Mach doch …!

Wir könnten montags und mittwochs joggen gehen.

Wie wäre es mit …?

Hoffentlich ist es nicht das Herz! 8

Sprechen: Mitleid ausdrücken: *Oh, das tut mir echt leid.*; Sorge ausdrücken: *Ich habe Angst vor Herzkrankheiten.*; Hoffnung ausdrücken: *Ich hoffe, es ist alles in Ordnung.*

Lesen: Forumstext

Wortfelder: Krankheit, Unfall

Grammatik: Konjunktionen *weil*, *deshalb*

1 Es muss nicht der Magen sein.

▶ 1 22 **a** **Sehen Sie das Foto an und hören Sie. Wer denkt was? Ordnen Sie zu.**

Dr. Watzek

Frau Brudler

Das ist ein schwerer Notfall.

Das ist sicher nicht so schlimm.

Das ist vielleicht ein Herzinfarkt.

b **Geht Frau Brudler oft zum Arzt? Ist sie wirklich krank? Was meinen Sie?**

2 Und Sie? Erzählen Sie.

Wie oft gehen Sie zum Arzt? Suchen Sie Informationen zu Krankheiten im Internet?

● Krankenwagen

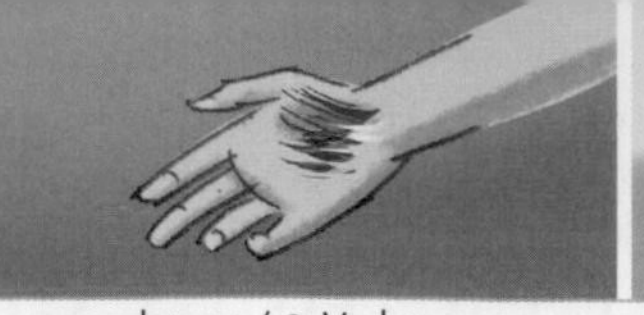
verletzen / ● Verletzung

● Unfall

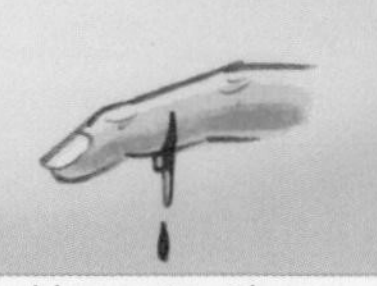
bluten / ● Blut

● Notarzt

AB 3 Wer kann mir helfen?

a Wie heißen die Personen? Überfliegen Sie den Forumstext und notieren Sie die Namen.

1 Der Nickname von Frau Brudler ist ______________. Sie macht sich große Sorgen.
2 ______________ glaubt: „Frau Brudler hat keine schlimme Krankheit."
3 ______________ kann Frau Brudler gut verstehen. Sie/Er vertraut Ärzten auch nicht.

Vorsicht! Es kann auch das Herz sein!
Haben Sie oft mal ein Druckgefühl oder sogar Schmerzen in der linken oberen Bauchgegend? Die meisten Menschen denken dabei zuerst an ein Problem mit dem Magen. Aber Achtung! Verschiedene Herzkrankheiten haben fast die gleichen Symptome, deshalb raten wir Ihnen: Gehen Sie sofort zum Arzt. Warten Sie nicht zu lange, weil gerade bei manchen Herzerkrankungen jede Minute wichtig ist.

Wer kann mir helfen? Bei mir ist es genau so. Da ist immer wieder so ein komisches Druckgefühl. Ich habe total Angst vor Herzkrankheiten, weil man daran so schnell sterben kann. carlotta123

@ carlotta123 Oh, das tut mir echt leid. Hoffentlich hast du nichts Schlimmes! Warst du denn schon beim Arzt mit deinem Problem? SEELENPEIN

@ SEELENPEIN *Ich war heute bei meinem Hausarzt in der Sprechstunde. Die Untersuchung hat nur fünf Minuten gedauert. Mein Herz ist völlig in Ordnung, hat er gesagt. Aber ich glaube ihm nicht. Er will mir nur nichts sagen, weil meine Krankheit so schlimm ist.* carlotta123

@ carlotta123 Ich finde es total traurig, dass die Ärzte einem nie die Wahrheit sagen. Deshalb gehe ich auch gar nicht mehr hin. SEELENPEIN

@ carlotta123 Du hast Probleme, weil du zu viel auf deinen Körper hörst. Du musst deinem Hausarzt glauben. Und denk doch nicht dauernd an Krankheiten! Dann hört das mit deinem Bauch ganz von selbst wieder auf. billi-rubin

b Lesen Sie noch einmal und korrigieren Sie die Sätze.

1 carlotta123 glaubt, sie hat Probleme mit dem ~~Magen~~. *Herz*
2 Der Hausarzt hat Carlottas Herz lange untersucht. ______________
3 Der Arzt meint, Carlottas Herz ist nicht gesund. ______________
4 billi-rubin meint, carlotta123 sollte ihrem Körper glauben. ______________

c Notieren Sie Wörter aus dem Text zu den Begriffen *Krankheit/Gesundheit* und *Körper*. Vergleichen Sie mit Ihrer Partnerin / Ihrem Partner. Haben Sie die gleichen Wörter gefunden?

Krankheit/Gesundheit: *sterben, …* Körper:

AB 4 Du hast Probleme, weil du zu viel auf deinen Körper hörst.

a *weil* oder *deshalb*? Lesen Sie noch einmal und ergänzen Sie.

GRAMMATIK

Er will mir nur nichts sagen, ______________ meine Krankheit so schlimm ist.
Ärzte sagen nicht die Wahrheit. ______________ gehe ich nicht mehr hin.

Wo steht das Verb?	Position 1	Position 2	Satzende
In *deshalb*-Sätzen	○	○	○
In *weil*-Sätzen	○	○	○

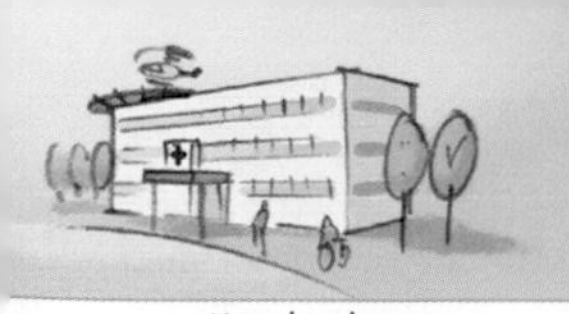
● Krankenhaus

● Notaufnahme

untersuchen / ● Untersuchung

operieren / ● Operation

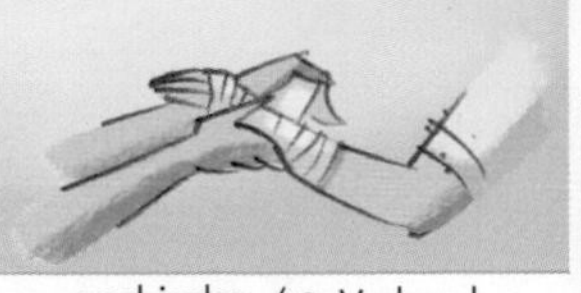
verbinden / ● Verband

Spiel & Spaß

b **Ergänzen Sie *weil* oder *deshalb*. Schreiben Sie dann zu zweit zwei eigene Sätze mit einer Lücke für *weil/deshalb*. Verwenden Sie dabei Wörter aus 3c und dem Bildlexikon. Tauschen Sie die Sätze mit einem anderen Paar.**

1 Frau Winkler kommt morgen nicht zur Arbeit, ______________ sie Magenschmerzen hat.
2 Mein Hausarzt hat am Mittwochnachmittag keine Sprechstunde, ______________ muss ich bis morgen warten.

AB

5 Gründe angeben: Ich kann heute nicht zur Arbeit kommen, weil ich Fieber habe.

Arbeiten Sie zu viert auf Seite 154.

Beruf

AB

6 Was ist los?

a **Was passt? Ordnen Sie zu. Hilfe finden Sie auch im Forumstext in 3a.**

Sorge/Hoffnung/Mitleid ausdrücken:

Was ist	es ist alles in Ordnung.
Ist alles	Herzkrankheiten.
Ich habe Angst vor	aber traurig.
Hoffentlich	los?
Ich hoffe,	in Ordnung?
Das finde ich	wirklich sehr/echt leid.
Oh, das tut mir	hast du nichts Schlimmes!

b **Lesen Sie das Gespräch zu zweit laut vor.**

Partner A
■ Was ist los? / Ist alles in Ordnung?

Partner B
▲ Ich habe so schlimme Schmerzen im Knie / …

■ Oh, das tut mir wirklich sehr leid! Warst du schon beim Arzt?

▲ Nein, noch nicht. Hoffentlich muss ich nicht ins Krankenhaus / …! Ich habe Angst vor Krankenhäusern / …

■ Hoffentlich hast du nichts Schlimmes! / Ich hoffe, es ist alles in Ordnung!

Comic

c **Spielen Sie das Gespräch jetzt mit neuen Situationen nach.**

Situation 1

Sie haben Zahnschmerzen.
Sie müssen zum Zahnarzt.
Sie haben Angst vor dem Zahnarzt.

Situation 2

Sie haben Magenschmerzen.
Sie müssen ins Krankenhaus.
Sie haben Angst vor Operationen.

SCHREIBTRAINING

AB **7 Gestern hatte ich einen Unfall.**

Spiel & Spaß

a Ergänzen Sie die fehlenden Wörter. Hilfe finden Sie im Bildlexikon.

Gestern hatte ich einen U _ _ _ _ _ mit dem Fahrrad. Eine Frau hat den K _ _ _ _ _ _ _ _ _ _ _ gerufen, weil meine Hand v _ _ _ _ _ _ _ war. Sie hat stark geblutet. Der Notarzt hat gemeint, dass ich ins K _ _ _ _ _ _ _ _ _ _ muss. In der Notaufnahme hat man meine Hand u _ _ _ _ _ _ _ _ _. Es war gar nicht schlimm. Ich habe einen V _ _ _ _ _ bekommen und bin dann mit dem Taxi nach Hause gefahren. Nur meinem Fahrrad geht es leider immer noch nicht gut.

Diktat

b Schreiben Sie zu dritt eine Geschichte wie in a.

Straße | Katze | Krankenhaus | Angst haben | Unfall | hoffen | bluten | Notarzt | hinfallen | untersuchen | Notaufnahme | verletzen | Operation | Vogel

- Person 1 schreibt ein bis drei Sätze und verwendet mindestens ein Wort aus dem Kasten. Sie/Er gibt die Sätze an Person 2 weiter.
- Person 2 schreibt auch ein bis drei Sätze und verwendet mindestens ein Wort aus dem Kasten.
- Dann ist Person 3 an der Reihe usw.
- Haben Sie alle Wörter aus dem Kasten verwendet? Dann ist Ihre Geschichte fertig.

Gestern hatte ich einen Unfall. …

Audiotraining

Karaoke

GRAMMATIK

Konjunktionen: Gründe ausdrücken

Hauptsatz + Nebensatz: *weil*

Folge	Grund		
Er will mir nur nichts sagen,	weil	meine Krankheit so schlimm	ist.
Du hast Probleme,	weil	du so viel auf deinen Körper	hörst.

Hauptsatz + Hauptsatz: *deshalb*

Grund	Folge	
Meine Krankheit ist so schlimm.	Deshalb	will er mir nichts sagen.
Du hörst so viel auf deinen Körper.	Deshalb	hast du Probleme.

KOMMUNIKATION

Sorge ausdrücken

Was ist los?
Ist alles in Ordnung?
Ich habe Angst vor Herzkrankheiten/…
Hoffentlich muss ich nicht ins Krankenhaus / zum Zahnarzt …

Mitleid ausdrücken

Das finde ich aber traurig.
Oh, das tut mir wirklich sehr / echt leid.

Hoffnung ausdrücken

Hoffentlich hast du nichts Schlimmes!
Ich hoffe, es ist alles in Ordnung.

Bei guten Autos sind wir ganz vorn. 9

Sprechen: Wichtigkeit ausdrücken: *Wie wichtig ist dir das?*

Lesen: Bericht über einen Dokumentarfilm

Wortfeld: Arbeitsleben

Grammatik: Adjektivdeklination nach Nullartikel: *flexible Arbeitszeit*

▶ 1 23 **1 Was ist richtig? Sehen Sie das Foto an, hören Sie und kreuzen Sie an.**

a Alfons Beierl
- ○ arbeitet bei Audi in Ingolstadt.
- ○ wohnt in Ingolstadt und fährt einen Audi.

b 1977 hat er
- ○ seinen ersten Audi gekauft.
- ○ an seinem ersten Audi gearbeitet.

c Der Audi 80 ist
- ○ ein sehr erfolgreicher Wagen.
- ○ nicht so wichtig für Audi.

2 Finden Sie Autos interessant?
Haben Sie ein Auto? Erzählen Sie.

Ich finde Autos überhaupt nicht interessant. ...

● Arbeiter

●/● Angestellte

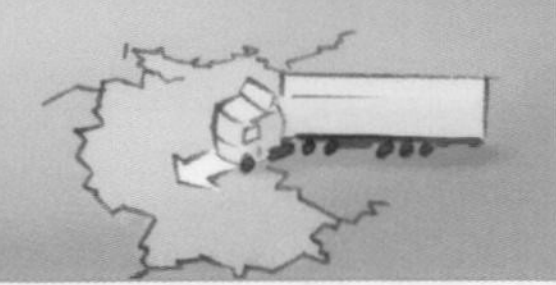
● Import

● Export

● Lager

AB **3** **Was passt? Sehen Sie ins Bildlexikon und ergänzen Sie.**

Spiel & Spaß

AB **4** **Mensch und Maschine**

a **Welcher Absatz passt? Überfliegen Sie den Text und ergänzen Sie die passenden Buchstaben.**

Die Arbeitsplätze in der Produktion	○	Die Produktion in den letzten 3 Jahrzehnten	○
Audis internationaler Erfolg	B	Die Arbeitszeiten	○

WIRTSCHAFT

»Mensch und Maschine« VON GÜNTHER JANNACK

Die deutsche Autoindustrie war schon in den 1970er- und 80er-Jahren sehr effektiv. Doch neue Technologien haben die Produktivität weiter verbessert. Frank Heistenbergs Dokumentarfilm „Mensch und Maschine" zeigt dies am Beispiel von Audi in Ingolstadt.

(A) Industriemeister Alfons Beierl geht bald in Rente. Seit fast 40 Jahren arbeitet er bei Audi. Am Fließband hat er gesehen, wie sich die Produktion in den vergangenen Jahrzehnten geändert hat. „1980 haben wir hier in Ingolstadt schon täglich 800 ‚Audi 80' produziert", sagt er stolz und ergänzt dann mit einem kleinen Lächeln: „Heute machen wir in dieser Fahrzeugklasse 1700 Fahrzeuge am Tag. Das sind über 110 Prozent mehr!"

(B) 1980 gehen 35% aller ‚Audi 80' in den Export. Im Jahr 2011 sind es 75% bei den Nachfolgemodellen. Audi hat mit seinen Fahrzeugen sehr großen Erfolg auf dem Weltmarkt. Bei dem starken internationalen Wettbewerb geht das natürlich nicht ohne Einsparungen. „Früher hatten wir zum Beispiel ein großes Lager", sagt Alfons Beierl. „Heute kommen die Bauteile von anderen Firmen pünktlich auf die Minute mit LKWs zu uns."

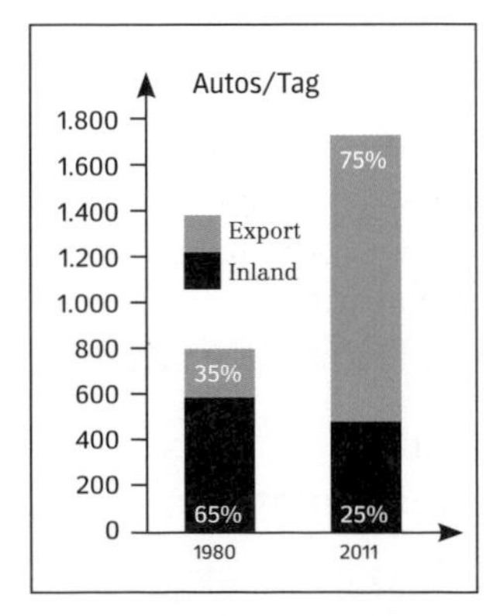

(C) Und wie sieht es im Werk aus? Alfons Beierl führt das Filmteam durch die großen Produktionshallen. Es ist sehr ordentlich und sauber. Hier könnte man fast vom Boden essen. Gesundheitlich problematische Arbeitsvorgänge, zum Beispiel das Lackieren der Fahrzeuge, machen heute Maschinen. Auch für Ergonomie am Arbeitsplatz hat man viel getan, wie Fotos aus der Firmengeschichte zeigen:

Arbeit im Motorraum 1981

Arbeit im Motorraum heute

(D) Arbeiter und Angestellte bei Audi haben heute mehr bezahlten Urlaub und eine kürzere Wochenarbeitszeit als früher. „Es hat sich wirklich sehr viel verändert", sagt Alfons Beierl. „Aber eins ist gleich geblieben: Bei guten Autos sind wir Ingolstädter ganz vorn." Dann lacht er und winkt zum Abschied.

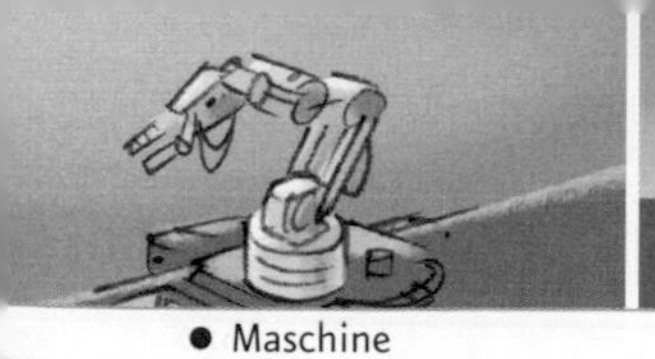

b Lesen Sie den Text noch einmal und kreuzen Sie an.

1 Der Bericht ○ erklärt neue Technologien. ○ erzählt von einem Dokumentarfilm.
2 Die Produktion bei Audi ist seit 1980 um 110 Prozent ○ gestiegen. ○ gesunken.
3 Audi verkauft heute ○ besonders viele ○ nur noch wenige Autos ins Ausland.
4 Die internationale Konkurrenz ist groß. Deshalb ○ muss auch Audi sparen. ○ hat Audi ein großes Lager.
5 Die Arbeitsbedingungen in der Produktion sind heute ○ fast genauso wie ○ anders als vor 40 Jahren.
6 Alfons Beierls Arbeitsplatz ist heute ○ gesünder als ○ nicht so gesund wie vor 40 Jahren.
7 ○ Nur die Mitarbeiter in der Produktion ○ Alle Mitarbeiter bekommen heute mehr Urlaubstage und arbeiten weniger als vor 40 Jahren.

AB

5 Suchen freundliche Mitarbeiter

Beruf

a Lesen Sie die Anzeigen und ergänzen Sie die Tabelle.

① Suchen freundliche Mitarbeiter (m/w) für unsere IT-Abteilung. Bieten Festanstellung bei gutem Lohn. Sana AG, Magdeburg

② Biete schnelle Reparaturen aller Art zu günstigen Preisen. Tel. 0176/0123456

③ Kleine Büros frei. Jetzt mieten! wuchervermietungen@btx.de

④ Suche ordentliche Haushaltshilfe für 10 Stunden pro Woche bei flexibler Arbeitszeit. Hugo Taubert, Tel. 444555

⑤ Suchen dringend großes Lager für 2 Monate. Siema AG, Kontakt: info@siema.com

⑥ Guter KFZ-Mechatroniker mit viel Berufserfahrung sucht Festanstellung. Tel. 04101/456

GRAMMATIK

	Nominativ		Akkusativ		Dativ	
●	guter	Mechatroniker	guten	Lohn	______	Lohn
●	großes	Lager	______	Lager	großem	Lager
●	flexible	Arbeitszeit	______	Haushaltshilfe	______	Arbeitszeit
●	______	Büros	______	Mitarbeiter	______	Preisen

Spiel & Spaß

b Ergänzen Sie die Anzeigen.

① Freundlich______ Studentin bietet Hilfe im Haushalt und bei kleinen Reparaturen.

② Suche dringend klein_____ Büro oder klein_____ Arbeitsplatz in nett_____ Bürogemeinschaft. Monatlich bis 200 €

③ Erfolgreich_____ Betrieb sucht flexibl_____ Mitarbeiter für den Verkauf. Kontakt: personal@siema.com

④ Suche Festanstellung mit fest____ Arbeitszeit und gut______ Lohn.

AB

6 Fragebogen: Wie soll Ihre Arbeit sein? Was ist Ihnen wichtig?

interessant?

Arbeiten Sie zu zweit auf Seite 155.

AB **7** **Berufe-Raten**

a **Schreiben Sie einen Beruf und den Arbeitsort / die Firma auf einen Zettel und kleben Sie den Zettel Ihrer Partnerin / Ihrem Partner auf die Stirn. Ihre Partnerin / Ihr Partner darf den Beruf nicht sehen.**

Diktat

b **Welchen Beruf haben Sie? Arbeiten Sie in Gruppen und stellen Sie Ja-/Nein-Fragen. Die anderen antworten.**

■ Habe ich studiert?
▲ Ja.
■ Bin ich selbstständig?
● Nein, das bist du nicht. Aber in dem Beruf kann man auch selbstständig arbeiten.
■ Arbeite ich in einem Büro?
▲ Nein, du arbeitest nicht in einem Büro.
■ Muss ich in meinem Beruf viel reisen?
…

Audiotraining | Karaoke

GRAMMATIK

Adjektivdeklination nach Nullartikel

	Nominativ	Akkusativ	Dativ
●	guter Lohn	guten Lohn	gutem Lohn
●	großes Lager	großes Lager	großem Lager
●	flexible Arbeitszeit	flexible Arbeitszeit	flexibler Arbeitszeit
●	kleine Büros	kleine Büros	kleinen Büros

KOMMUNIKATION

Wichtigkeit ausdrücken

Ich möchte gern …	Ist dir das wichtig?
Ja, das ist mir sehr wichtig. / Ja, sehr. Und dir?	Mir ist das auch wichtig / nicht so wichtig.
Und …? Wie wichtig ist/sind dir das/die?	Das /Die ist/sind mir nicht/sehr/schon wichtig.

NEUERÖFFNUNG **LaDONNA SPORT** – *Dein Frauen-Fitnessstudio*

RÜCKENSCHMERZEN? ZU VIEL SPECK UM DIE HÜFTEN? KEINE AUSDAUER?

Dann schaut bei uns vorbei! Mit LaDonnaSport macht Sport wieder Spaß.
Wer regelmäßig Sport treibt, lebt gesünder, sieht besser aus und ist rundum zufriedener.
Probiert es aus! Unser Team stellt euch gern einen persönlichen Trainingsplan zusammen.
Trainiert euren Körper an über 40 modernen Geräten. Baut Muskeln auf. Entspannt euch im Wellnessbereich. Trefft Freunde oder lernt nette Leute kennen. Unsere Gesundheitsbar hat viele leckere Salate und gesunde Drinks im Angebot. Kommt und lasst es euch schmecken!

FITNESS UND KURSE FÜR NUR 19,90 EURO/MONAT!

Egal ob (frisch gebackene) Mutter, (viel beschäftigte) Geschäftsfrau, Studentin oder Seniorin – bei LaDonnaSport seid ihr genau richtig!

EINLADUNG zum Tag der offenen Tür am 16./17./18. Mai von 9–21 Uhr

50 % Ermäßigung für die ersten 100 Mitglieder! Unverbindliches Probetraining

LaDonnaSport hat täglich von 6:00 Uhr bis 24:00 Uhr geöffnet.
Außerdem bieten wir professionelle Kinderbetreuung und einen großen Wellnessbereich mit Sauna und Schwimmbad.

LaDonnaSport hat sieben Tage in der Woche geöffnet:

- montags und mittwochs Yogakurse
- dienstags und donnerstags Pilates
- jeden Freitag Lauftreff
- täglich Bauch-Beine-Po-Gymnastik
- wechselnde Angebote am Wochenende wie Zumba und Poweryoga

LaDONNA SPORT
Mein Lieblingsstudio!

LADONNASPORT – DAS FITNESSSTUDIO IN DEINER NÄHE
IDEAL FÜR FRAUEN!

1 Lesen Sie den Flyer und beantworten Sie die Fragen.

a Sie möchten alleine trainieren. Was bietet das Fitnessstudio an?
b In dem Fitnessstudio kann man nicht nur Sport machen. Was gibt es dort noch?
c Für wen ist das Angebot und wie sind die Öffnungszeiten?
d Welche Kurse kann man in dem Fitnessstudio besuchen?

2 Und Sie? Sind oder waren Sie schon einmal Mitglied in einem Fitnessstudio? Erzählen Sie.

▶ Clip 3 **1** **Auf dem Fußballplatz**

a Was passiert hier? Lesen Sie die Fragen und sehen Sie den Anfang des Films (bis 0:40). Was meinen Sie?

1 Wo treffen sich die beiden Männer?
2 Sind die beiden verabredet oder treffen sie sich zufällig?
3 Wer von den beiden Männern ist sportlicher?
4 Wie geht der Film weiter?

b Was ist richtig? Sehen Sie den ersten Teil des Films (bis 2:13) und kreuzen Sie an.

1 Christian hat noch nie in einem Verein gespielt. ○
2 Max hatte als Kind einen Traum: Ich möchte Fußball-Profi werden. ○
3 Christian muss nach einer Verletzung auf sein Knie aufpassen. ○
4 Max verletzt sich schwer am Knie. ○
5 Christian würde gern noch weiter spielen. ○

c Haben Sie Erfahrungen mit Sportvereinen? Wie finden Sie Sportvereine? Erzählen Sie.

Als Kind habe ich Tennis im Verein gespielt.
Das hat sehr viel Spaß gemacht. …

▶ Clip 3 **2** **Am Telefon**

a Sehen Sie den Film ohne Ton weiter (ab 2:14). Wer ist am Telefon? Was meinen Sie? Schreiben Sie zu zweit ein Telefongespräch und spielen Sie Ihr Gespräch im Kurs.

Jacob: Hallo Christian, hier ist Jacob. Wie geht's?
Christian: Danke, gut. Ich bin gerade …

b Sehen Sie den zweiten Teil des Films nun mit Ton und ergänzen Sie.

1 Das Telefon klingelt. ________________ ruft an.
2 Sie möchte heute Abend für alle ________________.
3 Christian und Max sollen ________________ besorgen.
4 Und sie sollen in ________________ zu Hause sein.

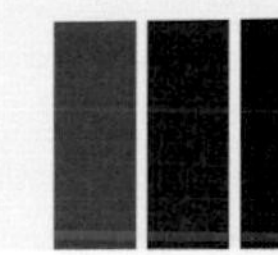

1 Waschen früher und heute

Was ist richtig? Lesen Sie den Text und kreuzen Sie an.

Waschen früher und heute

Heute ist es ganz einfach: Tür auf, Wäsche rein, Waschpulver dazu, Tür zu, Knopf drücken. Und circa eine Stunde später kann man die saubere, frisch duftende Wäsche aus der Waschmaschine holen und zum Trocknen aufhängen. Fertig!

Vor 100 Jahren aber war Wäschewaschen eine anstrengende Arbeit: Die Frauen haben die Wäsche erst einmal bis zu 24 Stunden eingeweicht, dann gekocht und von Hand weiter bearbeitet. Meistens hat man dazu Soda verwendet. Das ist aber sehr schlecht für die Haut! Zum Ausspülen haben die Frauen die Wäsche dann an einen Bach oder an eine Wasserpumpe getragen.

Nach dieser schweren Arbeit hatten die Frauen oft Rückenschmerzen oder waren erkältet. Deshalb haben reiche Leute nur zwei- bis dreimal pro Jahr gewaschen, ärmere Leute oft einmal im Monat, weil sie nicht so viel Wäsche hatten.

Seit 1951 gibt es Waschmaschinen. Die erste Waschmaschine war noch sehr teuer und fast nicht bezahlbar. Deshalb haben nur sehr wenige Menschen so eine Maschine gekauft. Im Jahr 1969 hatten schon viele Familien (61 %) eine Waschmaschine und heute steht sie in fast jedem Haushalt in den deutschsprachigen Ländern.

a Das Waschen war vor 100 Jahren leichter als heute. ○
b Vor 100 Jahren war das Waschen sehr anstrengend und deshalb Männerarbeit. ○
c Das Waschen hat früher sehr lange gedauert. ○
d Nach dem Waschen waren die Waschfrauen oft krank. ○
e In den 50er-Jahren hatten viele Frauen eine Waschmaschine. ○
f Heute wäscht in Deutschland, Österreich und der Schweiz fast keiner mehr mit der Hand. ○

2 Das Leben heute und vor 100 Jahren in Ihrem Heimatland

a Wählen Sie ein Thema aus und suchen Sie Informationen und Fotos im Internet oder in Bibliotheken. Wie war das Leben früher? Wie ist es heute? Machen Sie Notizen zu den Begriffen.

Beruf & Arbeit (Lohn, Arbeitszeit, Urlaub, Arbeitsbedingungen ...)
Sport & Freizeit (Sportarten, Vereine, Natur & Ausflüge ...)
Familie & Alltag (Hausarbeit, Kochen, Ernährung & Übergewicht ...)

b Schreiben Sie kurze Texte zu Ihren Fotos und machen Sie ein Plakat. Machen Sie dann eine Ausstellung im Kurs.

24 Stunden sind zu wenig

REFRAIN

Man sollte eigentlich ... Aber es geht nicht. 24 Stunden sind zu wenig.
Na ja, man könnte doch ... Aber es geht nicht. 24 Stunden sind zu wenig.
Man sollte öfter mal ... Aber es geht nicht. 24 Stunden sind zu wenig.

○ ■ Nee, das geht nicht, Mann, weil ich abends nicht kann.
● Wieso?
■ Hier ist mein Terminkalender. Sieh ihn dir an!

○ ■ Boah, der ist ja voll! Das find' ich nicht so toll.
● Warum?
■ Weil ich jetzt nicht weiß, mit wem ich joggen gehen soll.

② ● Nee, das geht nicht, Mann, weil ich am Freitag nicht kann.
■ Wieso denn?
● Hier ist mein Kalender. Da, sieh ihn dir an!

○ ● Es stimmt ja, Joggen wäre gar nicht so dumm.
Aber vormittags muss ich zu meinem Praktikum.
Deshalb kann ich vormittags nicht joggen gehen.
Könnten wir uns nicht um sechs Uhr abends sehen?

① ■ Du, was machst du denn am Freitag zwischen neun und zehn?
Wir könnten doch vielleicht zusammen joggen gehen.
Na komm, du solltest was für deine Fitness tun.
Hättest du denn Zeit? Na sag, was ist denn nun?

○ ● Boah, der ist ja voll! Das find ich nicht so toll.
■ Warum?
● Weil ich jetzt nicht weiß, mit wem ich Sport machen soll!

▶1 24 **1 Lesen Sie den Liedtext und sortieren Sie die Strophen.**
Hören Sie dann und vergleichen Sie.

▶1 24 **2 Hören Sie noch einmal und singen Sie mit.**

3 Haben Sie auch so viele Termine? Was sollten/könnten Sie öfter machen?
Sprechen Sie in Gruppen.

10 Gut, dass du reserviert hast.

Hören/Sprechen: im Restaurant bestellen: *Wir würden gern bestellen.*; reklamieren / um etwas bitten: *Verzeihen Sie, aber die Suppe ist kalt.*; bezahlen: *Die Rechnung, bitte.*

Wortfeld: im Restaurant

Grammatik: Konjunktion *dass*

1 Was meinen Sie? Sehen Sie das Foto an und beantworten Sie die Fragen.

Wo sind die Personen?
Wer sind sie?
Wie gut kennen sie sich?

Ich glaube, die beiden Personen sind in einem Lokal. Vielleicht sind sie Freunde. Die Frau hat Geburtstag und ihr Freund lädt sie zum Essen ein.

▶1 25 **2 Wir haben die gleiche Blume.**
Hören Sie und vergleichen Sie: Waren Ihre Vermutungen richtig?

Die beiden sind keine Freunde, sie …

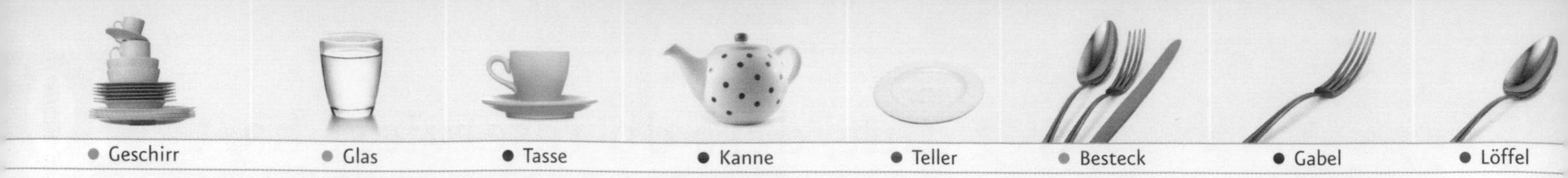

▶1 26 AB

3 Schade, dass es keine Pizza gibt.

a Was möchten Julia und Olli gern essen? Hören Sie und kreuzen Sie an.

	Pizza	Hamburger	Fisch	Pommes frites
JULIA	○	○	○	○
OLLI	○	○	○	○

Spiel & Spaß

b Wo steht das Verb in *dass*-Sätzen? Hören Sie noch einmal und ergänzen Sie die Tabelle.

Du hast reserviert. | Sie haben wenigstens Pommes. | ~~Es gibt keine Pizza.~~ | Ich nehme den Fisch.

GRAMMATIK

Schade,	dass	es keine Pizza	gibt.
Ich denke,	dass	______________	______
Ich hoffe,	dass	______________	______
Gut,	dass	______________	______

4 Im Restaurant: Schade, dass es kein ... gibt.

Arbeiten Sie zu dritt auf Seite 156.

GRAMMATIK
Ich weiß/finde/denke/glaube/hoffe/..., dass ...
Gut/Schön/Schade/..., dass ...

▶1 27 AB

5 Hören Sie das Gespräch im Restaurant weiter.

Was ist richtig? Kreuzen Sie an.

noch einmal?

1 Olli nimmt das Steak mit ○ Kartoffeln. ○ Pommes frites. ○ Salat.
2 Er möchte einen Salat ○ mit Essig und Öl. ○ nur mit Öl.
3 Julia möchte den Fisch mit ○ Kartoffelpüree. ○ Salat.

AB

6 Der perfekt gedeckte Tisch

Spiel & Spaß

Sehen Sie die Zeichnung an. Was fehlt auf dem Tisch? Hilfe finden Sie im Bildlexikon.

■ Auf dem Tisch ist kein Essig.
▲ Ja, und A hat kein Messer.

● Messer ● Salz ● Pfeffer ● Essig ● Öl ● Zucker ● Serviette

AB

7 Entschuldigung! Wir würden gern bestellen.

Diktat

a Wer sagt das? Ergänzen Sie die Sätze.

Ich hätte gern … | Ich komme gleich. | Bringen Sie mir lieber … | ~~Ich möchte bitte bestellen.~~ | Sofort.

Gast

■ Entschuldigung! Wir würden gern bestellen. / Ich möchte bitte bestellen.

Kellnerin / Kellner

▲ Einen Moment, bitte. / Einen Augenblick, bitte. / ______ / ______

…

Was kann ich Ihnen bringen?

■ ______ / Ich nehme …
Aber nicht mit …, sondern mit …
______

▲ Gern.

Beruf

b Rollenspiel: Im Restaurant. Spielen Sie Gespräche.

SALATE	
Kleiner gemischter Salat	4,50
Großer Salat mit Schafskäse und Oliven	8,50

HAUPTGERICHTE	
Steak in Pfeffersoße mit Pommes frites und Salat	16,90
Schnitzel „Wiener Art" mit Bratkartoffeln und Salat	12,90
Hähnchenbrust mit Reis und Gemüse	11,90
Labskaus „Seemannsart" mit Spiegelei, Gewürzgurke und Hering	12,90

▶ 1 28
AB

8 Hat es geschmeckt?

a Was ist richtig? Hören Sie und kreuzen Sie an.

1 Julia hat es nicht so gut geschmeckt. ○
2 Olli meint, dass der Kellner die Pommes frites vergessen hat. ○
3 Olli ist sicher, dass er kein Steak medium bestellt hat. ○
4 Olli und Julia zahlen getrennt. ○

interessant?

b Was passt? Ordnen Sie zu.

Verzeihen Sie, aber die Suppe ist kalt. | Die Rechnung, bitte. | Ich gebe es an die Küche weiter. | Der Salat war nicht frisch. | Das macht … | Das Messer ist nicht sauber. Könnte ich ein anderes bekommen? | Die Kartoffeln waren versalzen. | Wir würden gern zahlen. | Zusammen oder getrennt? | Wir haben kein Öl. Könnten Sie uns bitte das Öl bringen? | Hier bitte, stimmt so. | Oh! Das tut mir leid. Ich bringe eine neue Suppe. | Getrennt, bitte.

reklamieren/ um etwas bitten:	Verzeihen Sie, aber …
bezahlen:	Die Rechnung, bitte.

c Worüber haben Sie sich das letzte Mal im Restaurant beschwert? Erzählen Sie.

10 SPRECHTRAINING

AB **9** **Würfelspiel: Im Restaurant**

Comic

Spielen Sie zu zweit. Würfeln Sie und ziehen Sie mit Ihrer Spielfigur. Lesen Sie die Spielanweisung zu Ihrem Feld und sprechen Sie. Ihre Partnerin / Ihr Partner spielt die Kellnerin / den Kellner. Tauschen Sie dann die Rollen.

Start

Gast	Kellner
Rufen Sie den Kellner.	Reagieren Sie.
Bestellen Sie etwas zu trinken.	Reagieren Sie.
Bestellen Sie etwas zu essen.	Reagieren Sie.
Der Kellner hat etwas vergessen. Bitten Sie um Salz/Pfeffer/...	Reagieren Sie.
Nach dem Essen: Der Kellner fragt, wie es geschmeckt hat. Reklamieren Sie.	Fragen Sie, wie es geschmeckt hat und reagieren Sie auf die Antwort.
Sie möchten zahlen.	Reagieren Sie.

Ziel

GRAMMATIK

Audiotraining

Karaoke

Konjunktion: *dass*

Ich hoffe, dass sie Pommes haben.

auch so:
Gut/Schön/Schade/..., dass ...
Kann es sein, dass ...?
Ich weiß/finde/denke/glaube/hoffe/..., dass ...

KOMMUNIKATION

im Restaurant: bestellen	
Entschuldigung! Wir würden gern bestellen. / Ich möchte bitte bestellen.	Einen Moment. / Einen Augenblick, bitte. / Ich komme gleich. / Sofort.
Sie bekommen? Was kann ich Ihnen bringen?	Ich hätte gern ... / Ich nehme .... Aber nicht mit ..., sondern mit ... Bringen Sie mir lieber ...

im Restaurant: reklamieren / um etwas bitten	
Könnten Sie mir etwas Essig und Öl bringen? Das Messer ist nicht sauber. Könnte ich ein anderes bekommen?	Oh! Das tut mir leid. Ich ...
Verzeihen Sie, aber die Suppe ist kalt. Der Salat war nicht frisch. Die Kartoffeln waren versalzen.	Ich gebe es an die Küche weiter.

im Restaurant: bezahlen	
Die Rechnung, bitte. Wir würden gern zahlen.	Zusammen oder getrennt?
Zusammen./Getrennt.	Das macht ...
Hier bitte, stimmt so.	

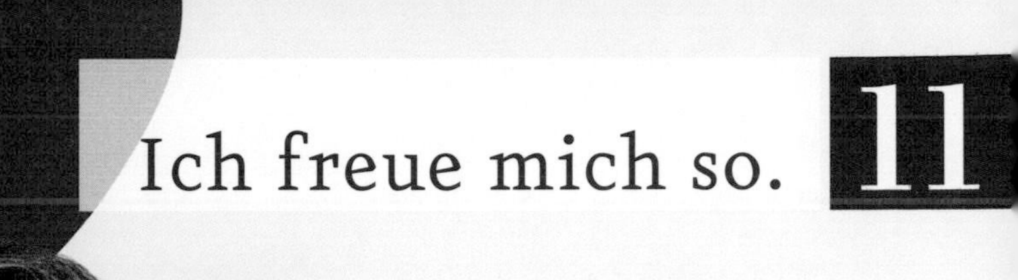

RESTLOS GLÜCKLICH

Wir sind restlos glücklich mit dir, Luisa!

▶ 1 29 **1 Sehen Sie das Foto an und hören Sie.**
Wer ist Luisa und was für ein Fest ist das? Was meinen Sie?

Luisa? Chefin | Mitarbeiterin des Jahres | neue Kollegin | Geschäftspartnerin | …
Fest? Geburtstag | Pensionierung | Jubiläum | …

2 „Restlos Glücklich GmbH": Was für eine Firma könnte das sein?

- ■ Ich glaube, dass die Firma Hochzeiten organisiert.
- ▲ Ja, oder vielleicht Geburtstage.
- ● Nein, das glaube ich nicht. Ich denke, dass …

Sprechen: etwas bewerten: *Ich finde es schön, dass …*; gratulieren: *Viel Glück!*; sich bedanken: *Wir danken Ihnen für …*

Lesen: Zeitungsartikel, Interview

Schreiben: gratulieren: *Wir gratulieren Dir ganz herzlich.*; sich bedanken: *Wir bedanken uns für …*

Wortfeld: Gebrauchsgegenstände

Grammatik: reflexive Verben: *sich freuen, sich erinnern*

- Briefumschlag
- Briefpapier
- Postkarte
- Notizblock
- Geschenkpapier

AB **3** **Zehn Jahre „Restlos Glücklich"**

a Was ist richtig? Überfliegen Sie den Zeitungsartikel und kreuzen Sie an.

Der Artikel heißt „Zehn Jahre ‚Restlos Glücklich'",
○ weil 45 Mitarbeiter seit 10 Jahren glücklich mit ihrem Job sind.
○ weil die Firma „Restlos Glücklich GmbH" ihr zehnjähriges Jubiläum feiert.

Zehn Jahre ‚Restlos Glücklich'

Zwei Gedanken sind der gelernten Buchdruckerin Luisa Bauer immer wieder durch den Kopf gegangen: ‚Es ist traurig, dass so viele Jugendliche keinen guten Job bekommen' und: ‚Es ist Wahnsinn, dass wir so viele Dinge auf den Müll werfen'. Deshalb hat sie vor zehn Jahren die *Restlos Glücklich GmbH* gegründet. Ihre Geschäftsidee: Aus Alt mach Neu. In ihren Werkstätten wird Altpapier zu bunten Briefumschlägen, Briefpapier, Postkarten, Notizblöcken und Geschenkpapier. Getränkeverpackungen, Plastik- und Textilreste werden zu neuen Geldbörsen, Rucksäcken und Aktentaschen. Aus Second-Hand-Kleidern wird topmoderne Mode und aus langweiligen alten Schränken und Tischen werden interessante neue Designermöbel. Die Produkte kann man im Werkstattladen, auf Messen und natürlich auch online ansehen und kaufen. Mit zwei jungen Helfern hat die 26-Jährige angefangen. Heute hat Luisa Bauer 45 Mitarbeiterinnen und Mitarbeiter. Das Betriebsklima ist sehr gut, weil die Arbeit so vielseitig und interessant ist. Deshalb hat Bürgermeister Ludger Rennert die Unternehmerin auf der Feier zum zehnjährigen Firmenjubiläum besonders gelobt: „Ihr Engagement, liebe Frau Bauer, ist so wichtig, weil es zeigt, dass Umweltschutz, soziales Engagement und wirtschaftlicher Erfolg prima zusammenpassen. Und deshalb wünsche ich Ihnen und Ihrem Projekt auch weiterhin alles Gute!"

Gundula Stremmer

Spiel & Spaß

b Lesen Sie den Zeitungsartikel noch einmal. Hilfe finden Sie im Bildlexikon. Ordnen Sie zu.

1 Luisa hatte zwei Gründe für die Firmengründung:	Gebrauchsgegenstände, Mode und Möbel.
2 Die Firma „Restlos Glücklich GmbH" stellt	in den letzten zehn Jahren stark gewachsen.
3 Die Firma verkauft	jungen Erwachsenen eine gute Arbeitsstelle bieten und Müll sinnvoll verwenden.
4 Die Kunden können	Produkte aus Müll her.
5 Der Betrieb ist	die Produkte in der Werkstatt, auf Messen und im Internet kaufen.

AB **4** **Wie finden Sie Luisas Geschäftsidee und ihre Produkte? Sprechen Sie.**

a Wie finden Sie die Geschäftsidee?
b Würden Sie die Produkte kaufen? Warum / Warum nicht?
c Würden Sie gern in der Firma arbeiten? Warum / Warum nicht?

KOMMUNIKATION

Ich finde es traurig/schrecklich/..., dass man so viel wegwirft / ...
Es ist Wahnsinn, dass ...
Ich finde es schön, dass ... / Ich bin froh, dass ...
Ich denke, dass das eine gute Idee ist. / dass das im Trend liegt.
Meiner Meinung nach ist es sehr gut, dass ...
Am besten / Besonders gut gefällt mir, dass ...
Den/das /die ... würde ich gern/nicht kaufen. Denn ...
Ich würde gern / nicht so gern in der Firma arbeiten, weil ...

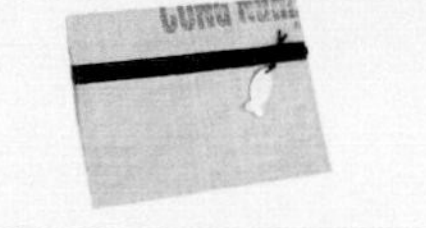    

● Geldbörse / ● Portemonnaie — ● Aktentasche — ● Handtasche — ● Rucksack

AB

interessant?

5 Aus Alt mach Neu: Woraus sind diese Produkte?

Arbeiten Sie zu viert auf Seite 154.

6 Sind Sie restlos glücklich?

a Lesen Sie das Interview. Was ist richtig? Kreuzen Sie an.

Die Allgemeine: *Frau Bauer, seit zehn Jahren sind Sie nun selbstständig mit Ihrem Unternehmen ‚Restlos Glücklich GmbH'. Wie fühlen Sie sich? Sind Sie restlos glücklich?*

Luisa Bauer: Na, das ist man ja nie. Aber ich fühle mich trotzdem prima.

Die Allgemeine: *Erinnern Sie sich noch an Ihre ersten Produkte?*

Luisa Bauer: Na klar erinnere ich mich. Ein Schulbuch-Verlag hat uns damals 8000 große alte Landkarten geschenkt und wir haben Geschenkpapier und Briefumschläge daraus gemacht.

Die Allgemeine: *Ist das normal, dass Sie so einfach Altmaterial von anderen Unternehmen bekommen?*

Luisa Bauer: Am Anfang war es nicht leicht, weil ich nur wenige Kontakte hatte. Inzwischen kenne ich aber viele Betriebe. Manche kommen von selbst und fragen: Das soll eigentlich auf den Müll, könnt ihr das vielleicht brauchen? Über so etwas freue ich mich natürlich besonders.

Die Allgemeine: *Ein großer Designmöbelhändler hier in der Stadt hat mal gesagt, dass die ‚Restlos Glücklich GmbH' für ihn nur ein billiger Second-Hand-Shop ist. Ärgern Sie sich da sehr?*

Luisa Bauer: Nein, ich ärgere mich überhaupt nicht. Der Satz zeigt doch, dass der Mann uns als Konkurrenz sieht. Er hat Angst, dass er Kunden an uns verliert. Soll ich mich deshalb ärgern?

Die Allgemeine: *Wie wird es in den nächsten Jahren weitergehen? Haben Sie schon neue Ideen?*

Luisa Bauer: Oh ja! Zum Beispiel hätte ich gern eine Internetplattform für Firmen wie unsere. Einen internationalen ‚Aus-alt-mach-neu-Markt', verstehen Sie? Das wäre doch toll, oder?

1 Frau Bauer ist unglücklich. ○
2 Das erste Produkt der Firma war aus Geschenkpapier. ○
3 Die Arbeit ist jetzt leichter als am Anfang, weil Frau Bauer nun viele Firmen kennt. ○
4 Frau Bauer hat Angst, dass sie Kunden an Designmöbelhändler verliert. ○
5 Frau Bauer möchte mit anderen Firmen zusammenarbeiten. ○

b Ordnen Sie zu. Vergleichen Sie dann mit dem Text und ergänzen Sie die Tabelle.

Aber ich fühle	sich noch an Ihre ersten Produkte?
Erinnern Sie	mich natürlich besonders.
Über so etwas freue ich	mich überhaupt nicht.
Nein, ich ärgere	mich trotzdem prima.

GRAMMATIK

ich fühle	______
du fühlst	dich
er/sie/es fühlt	sich
wir fühlen	uns
ihr fühlt	euch
sie/Sie fühlen	______

AB

Spiel & Spaß

7 Aktivitäten-Bingo: Triffst du dich abends oft mit deinen Freunden?

Arbeiten Sie zu viert auf Seite 157.

AB **8** **Herzlichen Glückwunsch!**

Diktat

a Lesen Sie die Kommentare im Online-Gästebuch und ergänzen Sie.

bedanken | freuen | viel Erfolg | Glückwunsch | gratulieren | Gute | Jubiläum | wünschen

Willkommen im Gästebuch der Firma »RESTLOS GLÜCKLICH GMBH«

Sie möchten einen Kommentar zu unserer Firma oder unseren Produkten abgeben?
Dann schreiben Sie doch einen Beitrag in unser Gästebuch.

Liebe Luisa,
herzlichen ____________ zum zehnjährigen ____________! Wir ____________ der besten Chefin der Welt ganz herzlich und ____________ uns schon auf die nächsten 10 Jahre.
Auf gute Zusammenarbeit! DAS ALTPAPIER-TEAM

Liebe Frau Bauer,
alles ____________ zum Jubiläum! Wir möchten uns noch einmal für die gute Zusammenarbeit ____________ und ____________ Ihnen auch für die nächsten 10 Jahre ____________!
Textil GmbH, R. Winter

b Schreiben Sie nun selbst einen Kommentar in das Gästebuch.

KOMMUNIKATION

Herzlichen Glückwunsch zum Jubiläum!
Alles Gute zum Jubiläum! / Viel Glück!
Wir wünschen Ihnen ...
Wir gratulieren Ihnen ...
Wir danken Ihnen für ...
Wir bedanken uns für ...
Wir hoffen ...

Audiotraining | Karaoke

GRAMMATIK

reflexive Verben

Aber ich fühle mich trotzdem prima.

ich fühle	mich
du fühlst	dich
er/es/sie fühlt	sich
wir fühlen	uns
ihr fühlt	euch
sie/Sie fühlen	sich

auch so: sich ärgern, sich erinnern, sich freuen, sich entschuldigen, sich unterhalten, sich treffen, sich streiten, sich beschweren ...

KOMMUNIKATION

etwas bewerten

Ich finde es traurig/schrecklich/..., dass man so viel wegwirft / ...
Ich finde es schön, dass ... / Ich bin froh, dass ...
Ich denke, dass das eine gute Idee ist. / dass das im Trend liegt.
Meiner Meinung nach ist es sehr gut, dass ...
Am besten / Besonders gut gefällt mir, dass ...
Den/das /die ... würde ich gern/nicht kaufen. Denn ...
Ich würde gern / nicht so gern in der Firma arbeiten, weil ...

gratulieren

Herzlichen Glückwunsch zum Jubiläum!
Alles Gute zum Jubiläum! / Viel Glück!
Wir wünschen Ihnen ...
Wir gratulieren Ihnen ...
Wir hoffen ...

sich bedanken

Wir danken Ihnen für ...
Wir bedanken uns für ...

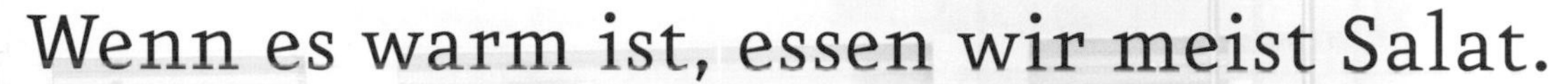

Wenn es warm ist, essen wir meist Salat. 12

Hören: Interviews

Sprechen: Überraschung ausdrücken: *Es überrascht mich, dass …*; etwas vergleichen: *Bei uns ist das anders.*

Lesen: Sachtext

Wortfeld: Lebensmittel

Grammatik: Konjunktion *wenn*

1 Sehen Sie das Foto an. Was für eine Situation ist das?

Ich glaube, das ist eine Familie. Sie hat gerade eingekauft. Die Lebensmittel stehen vielleicht auf dem Tisch, weil …

▶ 1 30

2 Was ist richtig? Hören Sie und kreuzen Sie an.

a Familie Schneider bereitet sich ○ auf Gäste ○ auf ein Foto vor.
b Eine Zeitschrift möchte über die Essgewohnheiten ○ in Deutschland ○ in Österreich schreiben.
c Eine Durchschnittsfamilie besteht aus ○ vier Personen. ○ drei Personen.
d Die Lebensmittel auf dem Tisch verbraucht die Familie ○ in einer Woche. ○ in einem Monat.

Obst

Gemüse

Wurst

Fleisch

AB **3** **Der Lebensmittel-Konsum in Deutschland**

Spiel & Spaß

a Was ist richtig? Was meinen Sie? Kreuzen Sie an. Hilfe finden Sie im Bildlexikon.

Die Deutschen essen ...

○ ... viele Getreideprodukte, zum Beispiel Brot und Müsli.

○ ... viel Fisch.

○ ... sehr viel Obst und Gemüse.

b Überfliegen Sie den Text und überprüfen Sie Ihre Vermutungen aus a.

INFO
die Hälfte = 50 % (Prozent)
doppelt so viel/viele = zweimal so viel/viele
rund 300 Gramm (g) = circa 300 Gramm (g)

Wie sieht die Ernährung der Deutschen aus? Essen sie genügend Obst? Wie viel Alkohol trinken sie? Und wie viel Fleisch essen sie pro Tag?

5 Das Bundesministerium hat dazu eine Umfrage unter Jugendlichen und Erwachsenen gemacht und einige interessante Ergebnisse herausgefunden:

Am häufigsten essen die Deutschen **Brot** und 10 **Getreideprodukte**.

Männer essen doppelt so viel **Fleisch** und **Wurstwaren** wie Frauen – 103 g pro Tag. Bei Frauen sind es dagegen nur 53 g pro Tag. Die empfohlene Menge sind 300 g bis 600 g 15 pro Woche.

Die Deutschen essen kaum Fisch: Durchschnittlich essen Männer nur 29 g **Fisch** pro Tag und Frauen 23 g pro Tag. Am meisten Fisch essen die Hamburger, und ältere Menschen essen 20 mehr Fisch als jüngere.

Die Deutschen essen zu wenig **Obst** und **Gemüse**: 87 % essen zu wenig Gemüse und 59 % essen zu wenig Obst. Frauen essen durchschnittlich mehr Obst als Männer. Aber auch 25 54 % der Frauen schaffen die empfohlene Menge (250 g pro Tag) nicht. Am meisten Obst essen die Deutschen nicht im Sommer oder Herbst, sondern in den Wintermonaten von November bis Januar.

30 Pro Tag soll man 1,5 Liter Nicht-Alkoholisches trinken. Das machen die meisten Deutschen auch. Positiv: **Wasser** macht davon etwa die Hälfte aus. Kaffee, schwarzer und grüner Tee stehen an Platz 2. Ansonsten trinken Frauen 35 mehr Kräuter- und Früchtetees, Männer häufiger Limonade.

Männer trinken mit rund 30 g **Alkohol** am Tag fast 4-mal mehr als Frauen. Davon sind 80 % Bier und nur 15 % Wein. Frauen trinken zu 40 50 % Bier und Wein. Spirituosen trinken vor allem junge Männer zwischen 19 und 24 Jahren.

c Lesen Sie noch einmal und kreuzen Sie an.

	richtig	falsch
1 Das Bundesministerium hat nur Erwachsene über ihre Essgewohnheiten befragt.	○	○
2 Die Deutschen essen kaum Brot.	○	○
3 Männer essen durchschnittlich viel mehr Fleisch als Frauen.	○	○
4 Die Deutschen essen nicht so oft Fisch.	○	○
5 Die Deutschen essen im Winter zu wenig Obst.	○	○
6 Männer trinken häufiger Tee als Frauen.	○	○
7 Männer trinken doppelt so viel Alkohol wie Frauen.	○	○

● Fisch ● Getreide ● Limonade ● Mineralwasser

AB

4 Die Essgewohnheiten der Deutschen

a Was überrascht Sie? Was nicht? Wählen Sie drei Satzanfänge und ergänzen Sie.

Es überrascht mich, dass ______________________________.
Ich finde es komisch, dass ______________________________.
Ich habe gedacht, dass ______________________________.
Es war mir klar, dass ______________________________.

Diktat

b Sprechen Sie in Gruppen über Ihre Ergebnisse. Wie ist es in Ihrem Land?

KOMMUNIKATION

Ich finde es komisch / Es ist komisch, dass ...
Es wundert/überrascht mich, dass ...
Es war mir (nicht) klar, dass ...
Ich habe gedacht, dass ...

Ja, das ist komisch. Aber bei uns ist das auch so.
Bei uns / In Brasilien / In meiner Heimat ... ist das anders.
Wir essen ...
Wirklich?/Komisch! Das wundert/überrascht mich (auch).

▶ 1 31–34
AB

5 Unter der Woche gibt es oft Gemüse.

**a Wer sagt das? Was meinen Sie? Ordnen Sie zu.
Hören Sie dann die Statements und vergleichen Sie.**

1 
Astrid (A)

2 
Peter (P)

3 
Hannes (H)

4 
Nina (N)

(A) Wenn Gäste kommen, brate ich Fleisch oder Fisch.
◯ Wenn meine Freunde kommen, dann dürfen wir uns auch mal ein Eis aus dem Kühlschrank holen.
◯ Ich liebe es, wenn wir alle zusammensitzen.
◯ Wenn es warm ist, essen wir meist Salat.
◯ Wenn wir uns abends einen Film ansehen, dann macht Mama oft einen Teller mit Obst und Schokolade.
◯ Wenn es schnell gehen muss, gibt es auch mal eine Pizza.
◯ Ich backe einen Kuchen, wenn jemand Geburtstag hat.
◯ Wenn ich Geburtstag habe, darf ich mir ein Essen aussuchen.

Spiel & Spaß

b Lesen Sie die Sätze aus a noch einmal und ergänzen Sie.

GRAMMATIK

Wenn	es warm	______, (dann)	______	______	meist Salat.
Wenn	es schnell gehen	______, (dann)	______	______	auch mal eine Pizza.
______	______	meist Salat,	wenn	es warm	______.
______	______	auch mal eine Pizza,	wenn	es schnell gehen	______.

AB

6 Ihre Ess- und Kochgewohnheiten: Was kochen Sie, wenn ...?

Arbeiten Sie zu dritt auf Seite 158.

Beruf

MINI-PROJEKT

7 Ihr Lebensmittelkonsum. Ergänzen Sie den Fragebogen und machen Sie sich Notizen. Erzählen Sie dann im Kurs.

Ich esse/trinke ...	zu viel	viel/oft	genug	wenig/selten	zu wenig	nie
Brot und Getreideprodukte		X				
Obst		X				
Gemüse						
Milchprodukte						
Fleisch	X (Rind, ...)					
Wurst						
Fisch						
Wasser						
Tee						
Alkohol						

Ich esse oft Brot und Vollkornnudeln. Und ich esse viel Obst und Gemüse. Zum Frühstück esse ich jeden Tag einen Obstsalat und abends koche ich Gemüse. Ich esse aber wahrscheinlich zu viel Fleisch, vor allem Rind und Huhn. Schweinefleisch esse ich nie.

GRAMMATIK

Konjunktion: *wenn*

Nebensatz	Hauptsatz
Wenn es warm ist,	(dann) essen wir meist Salat.
Wenn es schnell gehen muss,	(dann) gibt es auch mal eine Pizza.
Hauptsatz	**Nebensatz**
Wir essen meist Salat,	wenn es warm ist.
Es gibt auch mal eine Pizza,	wenn es schnell gehen muss.

KOMMUNIKATION

Überraschung ausdrücken

Ich finde es komisch / Es ist komisch, dass ... Es wundert/überrascht mich, dass ... Es war mir (nicht) klar, dass ... Ich habe gedacht, dass ...	Ja, das ist komisch. Aber bei uns ist das auch so. Bei uns / In Brasilien / In meiner Heimat ... ist das anders. Wir essen ... Wirklich?/Komisch! Das wundert/überrascht mich (auch).

etwas vergleichen

Bei uns / In Brasilien / In meiner Heimat ... ist das auch so / ist das anders / essen/trinken wir ...

Essen & Leben – der „gesunde“ Blog

Schlemmen und gleichzeitig fit bleiben? Geht das überhaupt? Ja! Denn Genuss und gesundes Essen sind keine Gegensätze. Bei **Essen & Leben** finden Sie über 2000 Rezepte für jeden Tag und jeden Geschmack. Dabei achten wir sehr auf gesunde und saisonale Zutaten. Egal ob Frühling, Sommer, Herbst oder Winter – so kaufen Sie immer gut und günstig ein.
Und so funktioniert unser Blog: Holen Sie sich unsere Einkaufsliste auf Ihr Handy. Kaufen Sie frische Zutaten ein. Drucken Sie Ihr Lieblings-Rezept aus. Schritt für Schritt erklären wir die Zubereitung. Egal ob für die Single-Küche, ein festliches Abendessen für Gäste oder eine Party – noch nie war Kochen so einfach!

Tagesrezept

Leicht und gesund: Karotten
Zubereitungszeit: 25 Minuten • 99 Kalorien
Karotten haben einen hohen Vitamin-A-Gehalt und sie sind gesund für Haut und Knochen.

Wir zeigen Ihnen ein Rezept mit Zwiebeln und Honig:
Schritt 1: Ca. 400 g Karotten waschen und schälen. Eventuell ein bisschen Grün stehen lassen.
Schritt 2: Eine kleine Zwiebel schälen und fein würfeln.
Schritt 3: Etwas Butter in einer Pfanne erhitzen. Karotten und Zwiebeln bei mittlerer Hitze andünsten. Ab und zu wenden.
Schritt 4: Zwei TL Honig dazugeben. Mit Salz und Pfeffer würzen.
Schritt 5: 150 ml Gemüsebrühe dazugießen. 10–15 Min. kochen lassen.

Download: Einkaufszettel / Rezept

Thema des Tages
Langsam aber sicher – so schaffen Sie die Ernährungsumstellung.

Ernährung: Wissen
Sind Smoothies wirklich so gesund wie Obst? Oder schadet der hohe Zucker- und Säuregehalt den Zähnen?

Tipps
Herbstliche Tischdekoration mit Äpfeln und Zweigen.
Für einen gelungenen Abend mit Gästen. Denn das Auge isst mit!

Omas Trick: Dunkle Bratensoße wird besonders schön, wenn Sie eine Prise Zucker unterrühren!

Jeden Tag ein Apfel!
Äpfel sind nicht nur gesund, Sie helfen auch beim Abnehmen und versorgen uns mit wichtigen Vitaminen.
Hier erfahren Sie alles über die verschiedenen Sorten – von Boskop bis zu Jonagold.

1 Was ist richtig? Lesen Sie und kreuzen Sie an.

a In dem Blog finden Sie Rezepte. Aber nicht alle sind auch gesund. ○
b Von der Webseite können Sie Einkaufslisten und Rezepte herunterladen. ○
c Egal, ob Sie für eine oder viele Personen kochen möchten – auf der Webseite finden Sie immer ein passendes Rezept. ○
d Für das Karotten-Rezept brauchen Sie über eine halbe Stunde. ○
e Auf der Webseite kann man auch etwas über gesunde Ernährung lernen. ○

2 Nutzen Sie solche Seiten im Internet? Wenn ja, auf welchen Seiten informieren Sie sich besonders häufig?

▶ Clip 4

1 Im Restaurant

a Was ist richtig? Sehen Sie den Anfang des Film (bis 0:28) und kreuzen Sie an.

1 Lena hatte alle zum Essen eingeladen. Doch
- ◯ das Essen ist verbrannt.
- ◯ der Herd funktioniert nicht. Deshalb gehen Lena und Christian mit ihren Gästen in ein Restaurant.

2 Melanie und Max freuen sich, dass
- ◯ sie Lena und Christian ihr Lieblingsrestaurant zeigen können.
- ◯ sie Lenas und Christians Lieblingsrestaurant kennenlernen können.

b Was bestellen die Personen? Sehen Sie den Film nun weiter (ab 0:29) und ergänzen Sie.

1 Lena nimmt das Lammfleisch mit ______________.
2 Max möchte auch das ______________ mit ______________.
3 Melanie bestellt als Vorspeise die ______________ und als Hauptspeise den ______________.
4 Christian hätte gern den Salat ohne ______________. Und als Hauptgericht möchte er auch den ______________ essen.

c Und Sie? Was mögen Sie nicht? Welche Sonderwünsche haben Sie im Restaurant? Erzählen Sie.

Ich mag keine Paprika. Einen Salat bestelle ich immer ohne Paprika.

▶ Clip 4

2 Hoffentlich geht das nicht auch noch schief!

Ordnen Sie zu. Sehen Sie dann den Film noch einmal und vergleichen Sie.

a Lena ärgert sich, dass	das Restaurant so leer ist.
b Melanie und Max wundern sich, dass	der Kellner sie zu einem Getränk einladen möchte.
c Die vier ärgern sich, dass	den Sekt ohne Orangensaft.
d Christian ärgert sich, dass	er sich Sorgen gemacht hat.
e Lena beschwert sich über	sie nicht für alle kochen kann.
f Die vier wundern sich, dass	sie so lange auf den Kellner warten müssen.
g Der Kellner entschuldigt sich bei	er einen Sohn bekommen hat.
h Er war durcheinander, weil	den Gästen.
i Der Kellner freut sich darüber, dass	der Kellner den Sekt verschüttet.

1 Wie wird das „Luna" bewertet?

Lesen Sie die Restaurantkritik und ergänzen Sie die Tabelle.

Restaurantkritik

Restaurants in Hamburg

Das „Luna" im Schanzenviertel: charmanter Ort mit sehr guter Küche

Küche: international
Öffnungszeiten: täglich von 11:30 Uhr bis 1:00 Uhr, Sonntag Ruhetag

Im Schanzenviertel hat letzten Monat das Luna aufgemacht. Das Restaurant möchte seinen Gästen hochwertige internationale Küche in charmanter Atmosphäre anbieten. Und das gelingt ihnen auch: Das Luna ist stilvoll und sehr modern eingerichtet. Besonders schön sitzt man auf der Terrasse. Leider gibt es dort nur wenige Plätze, bei schönem Wetter sollte man also reservieren.
Der Service war ganz gut: Die Kellner sind wirklich sehr freundlich und hilfsbereit bei der Auswahl des Menüs. Leider waren sie nicht besonders schnell. Auf die Getränke haben wir mehr als 20 Minuten gewartet.
Das Essen ist dafür aber ein Traum: Mit 27 Euro für ein vegetarisches Menü und 33 Euro für ein Menü mit Fleisch ist das Essen zwar nicht besonders preiswert, aber sehr empfehlenswert. Unser persönliches Highlight war der Spargelsalat mit Ei und Kräutern, aber auch alle anderen Gerichte haben uns super geschmeckt.
Wenn Sie also in entspannter Atmosphäre gut essen möchten, dann sind Sie im Luna genau richtig.

Frauke

Essen	*****	
Atmosphäre	*****	stilvoll + modern eingerichtet
Service	***	
Preis	****	

12 Bewertungen
****** ☺ ☺ ☺
* ☹ ☹ ☺

2 Restaurants in Ihrer Stadt

a **Arbeiten Sie in Gruppen: Welches Restaurant können Sie empfehlen / nicht empfehlen? Einigen Sie sich auf ein Restaurant. Diskutieren Sie dann über die Restaurantbewertung und ergänzen Sie.**

Pizzeria Roma

Essen		
Atmosphäre		
Service		
Preis		

■ Die Pizzen sind total lecker.
● Ja, das finde ich auch. Für das Essen würde ich fünf Sterne geben.
▲ Ja, einverstanden. Und wie findet ihr die Atmosphäre? ...

b **Präsentieren Sie Ihr Restaurant im Kurs und machen Sie einen Restaurantführer im Kurs.**

AUSKLANG

Liebe geht durch den Magen

1 Ich weiß, __________ ich kein Traummann bin
__________ ich fühle mich auch nicht als Genie.
Ich weiß, __________ ich keinen Sixpack hab'
__________ den Marathonlauf, den schaff' ich nie.
Aber __________ ich in meine Küche geh',
fühl' ich mich plötzlich so sicher und frei.
Und __________ ich dann in meiner Küche steh',
geht alles ganz einfach: eins, zwei, drei!

REFRAIN

Eins! ... Zuerst die Vorspeise.
Zwei! ... Und dann die Hauptspeise.
Drei! ... Danach die Nachspeise.
Und am Ende gibt es keine Fragen mehr,
denn jeder sollte wissen, bitte sehr:
Liebe geht durch den Magen.
Komm, lass es dir von mir sagen.
Da kannst du jeden Koch fragen.
Liebe geht durch den Magen.

2 Es ist wahr, __________ er nicht so toll aussieht
und __________ er oft ‚äh' macht, __________ er was sagt.
Es stimmt, __________ er nichts von Mode versteht
und __________ er keinen sportlichen Körper hat.
Aber all diese Fehler stören mich nicht
und __________ er mich einlädt, freu' ich mich sehr,
__________ bei ihm ist ein Menü wie ein Liebesgedicht
und __________ du's mal probiert hast, dann willst du mehr!

▶1 35 **1 Lesen Sie den Text und ergänzen Sie *dass, denn, und* oder *wenn*. Hören Sie dann das Lied und vergleichen Sie.**

▶1 35 **2 Hören Sie noch einmal und singen Sie mit. Die Männer singen die erste Strophe und den Refrain, die Frauen die zweite Strophe und den Refrain.**

Meine erste „Deutschlehrerin“ 13

▶ 2 01

1 Sehen Sie das Foto an, hören Sie und kreuzen Sie an.

	richtig	falsch	unbekannt
a Paul spricht gut Deutsch, weil seine Mutter Deutsche ist.	○	○	○
b Paul hat schon als Kind Deutsch gelernt.	○	○	○
c Von Marie hat Paul die ersten deutschen Wörter gelernt.	○	○	○
d Pauls erstes deutsches Wort war „Bratwurst“.	○	○	○

Hören/Sprechen: von Sprachlernerfahrungen berichten: *Für mich ist das Audiotraining sehr wichtig.*

Wortfeld: Lerntipps

Grammatik: Konjunktion *als*

2 Was war Ihr erster deutscher Satz / Ihr erstes deutsches Wort? Erzählen Sie.

Vokabelkärtchen schreiben

Nachrichten hören

Filme anschauen

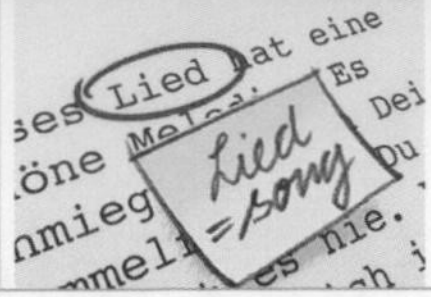

Wörter übersetzen

Lieder mitsingen

Sätze aufschreiben

Fehler korrigieren

▶ 2 02 AB

3 Du hast dich verliebt …?

a Hören Sie das Gespräch weiter und beantworten Sie die Fragen.

1 Was war Pauls erster deutscher Satz? *Das war: …*
2 Wo hat er Marie kennengelernt?
3 Wo lebt Paul jetzt und was macht er dort?

noch einmal?

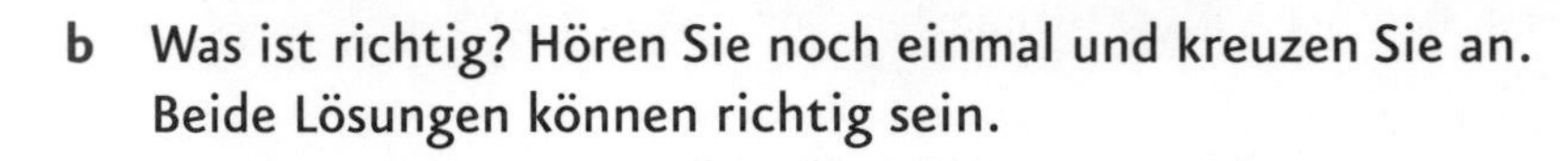

b Was ist richtig? Hören Sie noch einmal und kreuzen Sie an. Beide Lösungen können richtig sein.

1 Paul hat Marie für ○ eine Woche ○ eineinhalb Monate in Berlin besucht.
2 Paul hat sich in ○ Marie ○ Deutschland verliebt.
3 Als Paul wieder zu Hause war, hat er Deutschkurse ○ an der Universität ○ am Goethe-Institut besucht.
4 Das Stipendium für die Frankfurter Uni hat Paul im ○ vierten ○ achten Semester bekommen.
5 Paul meint: Wenn man eine Fremdsprache lernen will, muss man ○ Kurse besuchen. ○ mit Muttersprachlern sprechen.

c Ordnen Sie zu und kreuzen Sie dann an.

als ich im vierten Semester war | als sie wieder zu Hause war | als sie mit der Schule fertig war

GRAMMATIK

Marie ist lange verreist,	*als*	___	*war.*
Sie hat mich nach Berlin eingeladen,	___	___	___
Ich habe das Stipendium bekommen,	___	___	___

1 Wie oft ist das passiert? ○ einmal ○ häufig
2 Wann ist es passiert? ○ früher (Vergangenheit) ○ heute (Gegenwart)

AB

4 Ihre Sprachlerngeschichte: Arbeiten Sie zu zweit auf Seite 159.

Beruf

AB

5 Wie lerne ich am besten Fremdsprachen?

Spiel & Spaß

a Lesen Sie den Ratgeber auf Seite 77. Welcher Tipp aus dem Bildlexikon passt am besten zu den Lernertypen? Notieren Sie.

Typ ①: Filme anschauen
Typ ②:

b Und was hilft Ihnen? Notieren Sie.

Das finde ich wichtig / Das hilft mir:
Das finde ich nicht so wichtig / Das hilft mir nicht:
Diese Lernertypen passen zu mir:

Wörter wiederholen

Zeitschriften lesen

viel sprechen

Bilder zeichnen

Sätze nachsprechen

Grammatikaufgaben lösen

WIE LERNE ICH AM BESTEN FREMDSPRACHEN?

Man muss natürlich so viel wie möglich üben. Aber jeder lernt anders und deshalb gibt es viele Wege.

1. Der visuelle Typ muss alles sehen. Ihm helfen Bilder und Farben. 
2. Für den auditiven Typ ist der Klang einer Sprache wichtig. Er muss die Sprache oft hören und lernt gern mit Liedern und Musik. 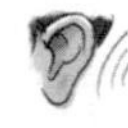
3. Der kommunikative Typ findet Sprechen am allerwichtigsten. Ohne Sprachpraxis kann er keine Sprache lernen. 
4. Der kognitive Typ findet Grammatik sehr wichtig. Er möchte zuerst die Regeln verstehen. 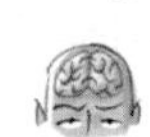
5. Der haptische Typ arbeitet sehr gern mit seinen Händen. Er möchte sich bewegen, Dinge in die Hand nehmen oder etwas aufschreiben. 

Zu den meisten Menschen passt nicht nur ein Lernertyp. Welche passen zu Ihnen?

Diktat

c Vergleichen Sie im Kurs.

KOMMUNIKATION

Ich finde es wichtig, dass man ...
Ich muss immer/oft ...
Für mich gibt es nur einen Weg: ...
Am (aller)wichtigsten ist für mich ...
Tests/... finde ich gar nicht wichtig / helfen mir nicht.

Ich bin ein auditiver und ein haptischer Typ. Für mich ist das Audiotraining sehr wichtig. Ich muss Sätze so oft wie möglich hören, dann kann ich sie mir gut merken. ...

6 Mein schönstes deutsches Wort

a Lesen Sie und ordnen Sie die Bilder zu.

Ⓐ ◯ „lieben" – Dieses Wort ist für mich das schönste deutsche Wort, weil es nur ein „i" vom Leben entfernt ist.
Gloria Bosch, Spanien

Ⓑ ◯ Mein schönstes deutsches Wort lautet: „Sternschnuppe", weil man nach einer Sternschnuppe immer einen Wunsch frei hat!
Hildegard Breitenstein, Deutschland

Ⓒ ◯ Ich finde, „Sommerregen" ist das schönste deutsche Wort, weil ich es gerne lese und schreibe und weil ich den Geruch von Sommerregen gerne mag, denn er erinnert mich an den Sommer.
Isabell Schultze, 14 Jahre, Deutschland

1

2

3

b Machen Sie Notizen zu den Fragen und schreiben Sie einen Text wie in a. Hängen Sie dann Ihre Texte im Kursraum auf.

1 Welches deutsche Wort finden Sie besonders schön?
2 Warum finden Sie das Wort schön?

7 Wie klingt Deutsch?

▶ 2 03 **a Wie klingen die Sprachen? Was meinen Sie? Hören Sie und machen Sie Notizen. Vergleichen Sie dann.**

laut | leise | weich | hart | schnell | langsam | freundlich | melodisch | schön | fremd | …

1 Deutsch ____________________
2 Französisch ____________________
3 Russisch ____________________
4 Vietnamesisch ____________________
5 Türkisch ____________________

■ Deutsch klingt härter als Französisch.
▲ Ja, das finde ich auch. Und Vietnamesisch klingt sehr melodisch.

interessant?

b Welche Sprachen würden Sie gern noch lernen? Warum? Erzählen Sie.

Ich würde gern noch Italienisch lernen, weil meine beste Freundin aus Italien kommt.

Audiotraining | Karaoke

GRAMMATIK

Konjunktion *als*		
Nebensatz vor dem Hauptsatz		
Nebensatz		**Hauptsatz**
Als	ich im vierten Semester war,	habe ich das Stipendium bekommen.

Hauptsatz vor dem Nebensatz		
Hauptsatz	**Nebensatz**	
Ich habe das Stipendium bekommen,	als	ich im vierten Semester war.

KOMMUNIKATION

von Sprachlernerfahrungen berichten
Ich finde es wichtig, dass man … Ich muss immer/oft … Für mich gibt es nur einen Weg: … Am (aller)wichtigsten ist für mich … Tests/… finde ich gar nicht wichtig / helfen mir nicht.

Es werden fleißig Päckchen gepackt. 14

Sprechen: Freude ausdrücken: *Schön, dass du an mich gedacht hast.*

Lesen: Zeitungsmeldung, Gebrauchsanweisung

Schreiben: persönlicher Brief

Wortfeld: Post

Grammatik: Passiv Präsens: *Das Päckchen wird gepackt.*

1 Sehen Sie das Foto an. Wer sind die beiden und was machen sie?
Was meinen Sie?

Ich glaube, sie packen Geschenke für ihr Enkelkind ein.

▶ 2 04 **2 Hören Sie und kreuzen Sie an.**

a Was packen die beiden in den Karton?
○ Mütze ○ Schal ○ Handschuhe ○ Strumpfhose
○ Stofftasche ○ Stofftier ○ Musikinstrument
○ Auto ○ Puppe ○ Schokolade ○ Nüsse ○ Karte
○ Bonbons ○ Foto ○ Brief

b Die Geschenke sind für ○ ein Mädchen. ○ einen Jungen.

c Das Kind wohnt in ○ Osteuropa. ○ einem deutschsprachigen Land.

d Das Geschenk ist ○ für Weihnachten. ○ für Ostern.

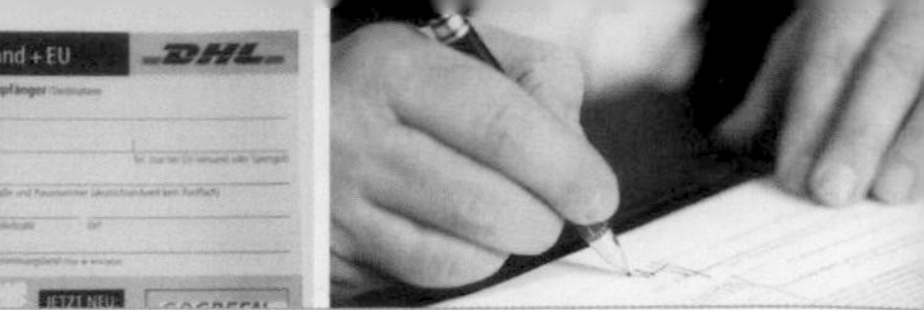

● Post ● Päckchen ● Paket ● Absender ● Adresse ● Empfänger unterschreiben / ● Unterschrift

AB **3**

Weihnachten im Schuhkarton

interessant?

a Was ist richtig? Überfliegen Sie den Zeitungsartikel und kreuzen Sie an.

1 Die Organisatoren von „Weihnachten im Schuhkarton" verschicken ◯ Schuhe ◯ Geschenke an arme Kinder in Osteuropa und Asien.
2 Das Projekt hat ◯ großen ◯ keinen Erfolg.

Weihnachten im Schuhkarton – eine schöne Idee!

Weihnachten! – Mit all seinen Lichtern und Geschenken sicher eines der schönsten Feste im Jahr. Ganz besonders für Kinder! Können Sie sich noch erinnern, wie Sie als Kind die Tage bis Heiligabend gezählt haben? Wie groß war dann die Freude! Diese Freude kennt leider nicht jedes Kind, weil vielen Familien das Geld für Geschenke fehlt.
Deshalb werden bis Mitte November wieder fleißig Päckchen gepackt. Wie jedes Jahr bitten „Geschenke der Hoffnung", die Organisatoren von dem Projekt „Weihnachten im Schuhkarton", Menschen in Deutschland und Österreich um ihre Hilfe – um Geschenke in einem Schuhkarton. Im Dezember werden die Päckchen an arme Mädchen und Jungen in Osteuropa und Asien verschickt. Seit 1990 schon gibt es das Projekt „Weihnachten im Schuhkarton". Da hat man zum ersten Mal 3000 Geschenk-Päckchen an rumänische Kinder verteilt. Heute sind es viel mehr. Im letzten Jahr hat man fast eine halbe Million Kinder glücklich gemacht. Für manche war es das erste Geschenk ihres Lebens.

Glückliche Kinder mit ihren „Schuhkartons". Manche der Kinder haben noch nie in ihrem Leben ein Geschenk bekommen.

b Lesen Sie den Zeitungsartikel noch einmal und finden Sie passende Fragen zu den Antworten.

1 ______ Weihnachten.
2 ______ Menschen in Deutschland und in Österreich.
3 ______ Kinder in Osteuropa und Asien.
4 *Wann schickt die Organisation Päckchen an die Kinder?* Im Dezember.
5 ______ Seit 1990.
6 ______ 3000 Päckchen.
7 ______ Eine halbe Million Kinder.

AB **4**

Mitmachen ist ganz einfach!

a Lesen Sie die Gebrauchsanweisung auf Seite 81 und hören Sie die Geräusche. Was passt? Ordnen Sie zu. Hilfe finden Sie im Bildlexikon.

Geräusch	A	B	C	D
Schritt				

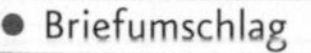

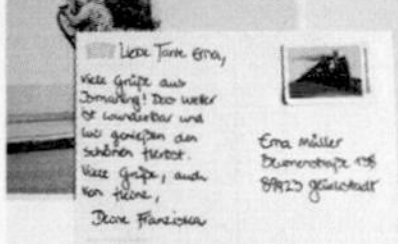

● Briefumschlag ● Schalter ● Briefkasten ● Postkarte ● Brief packen ● Karton

MITMACHEN IST GANZ EINFACH! SO GEHT'S:

Schritt 1: **Zuerst wird der Karton beklebt ...**
Ober- und Unterteil eines Schuhkartons mit Geschenkpapier bekleben.
Der Schuhkarton sollte ca. 30 x 20 x 10 Zentimeter groß sein.

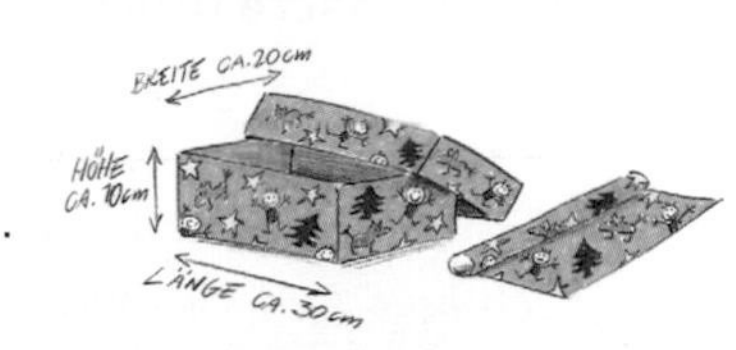

Schritt 2: **Dann wird das Etikett mit dem Empfänger aufgeklebt ...**
Junge oder Mädchen? Für wen soll das Geschenk sein?
Bitte Geschlecht und Alter ankreuzen: 2–4, 5–9 oder
10–14 Jahre.

Schritt 3: **Schließlich wird das Päckchen gepackt ...**
Am besten verschiedene Geschenke (Stofftiere, Schulsachen und Süßigkeiten) in den Karton legen. Legen Sie auch eine Karte oder einen Brief mit Weihnachtsgrüßen und Ihrer Adresse in das Päckchen.

Schritt 4: **Und ab geht die Post!**
Zuletzt wird der Schuhkarton mit Gummibändern verschlossen und abgeschickt.

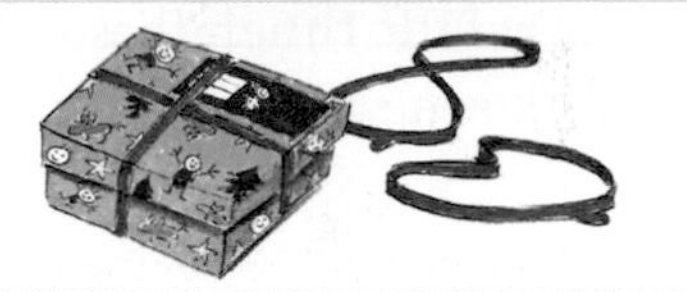

Spiel & Spaß

b Lesen Sie die Gebrauchsanweisung in a noch einmal. Was wird gemacht? Erzählen Sie.

abschicken | aufkleben | bekleben | legen | packen | verschließen | ankreuzen

■ In Schritt 1 wird der Karton mit Geschenkpapier beklebt.
▲ Und in Schritt 2 wird ...

GRAMMATIK

	Passiv	
Das Päckchen	wird	gepackt.
Die Geschenke	werden in den Karton	gelegt.

AB

5 Auf der Post: Was wird hier gemacht?

Arbeiten Sie auf Seite 160. Ihre Partnerin / Ihr Partner arbeitet auf Seite 162.

Spiel & Spaß

6 Kleine Geschenke

a Wählen Sie eine Person aus dem Kurs und schreiben Sie eine Karte. Notieren Sie drei Geschenke.

b Die Karten werden neu verteilt. Was steht auf Ihrer Karte? Erzählen Sie. Die anderen raten: Für wen sind die Geschenke?

■ Die Geschenke sind: ein Gutschein für zwei Konzertkarten, eine Gesichtscreme und drei Tafeln Chili-Schokolade.
● Das Päckchen ist sicher für Charlotte, weil sie gern Musik hört.
▲ Das glaube ich nicht, denn Charlotte ...

14 SCHREIBTRAINING

AB 7 **Deine Geschenke haben mich sehr gefreut.**

a Welche Sätze drücken Freude aus? Markieren Sie.

Liebe Tessa,
Deine Geschenke haben mich sehr gefreut. Schön, dass Du an mich gedacht hast.
Ich liebe Chili-Schokolade und habe die drei Täfeln sofort gegessen. Und die Creme ist super.
Gestern habe ich sie gleich benutzt. Der Gutschein für die Konzertkarten war eine tolle Idee.
Ich freue mich schon sehr auf das Konzert. Vielleicht möchtest Du ja mitkommen?
Herzliche Grüße
Elisa

Diktat

b Bedanken Sie sich nun für Ihre Geschenke aus 6. Machen Sie Notizen und schreiben Sie einen Brief.

Was hat Sie gefreut? ____________________
Was gefällt Ihnen (besonders) gut? ____________________
Was können Sie gut (besonders) gut gebrauchen? ____________________

KOMMUNIKATION

Vielen Dank für Deine tollen Geschenke!
Schön, dass Du an mich gedacht hast. / …
… hat/haben mich sehr gefreut.
Ich liebe … / … mag … besonders gern.
… ist/sind super. / eine tolle Idee.
Ich bin sehr froh, dass …
Ich freue mich sehr auf …

Audiotraining | Karaoke

GRAMMATIK

Passiv Präsens			
		werden	**Partizip**
Singular	Das Päckchen	wird	gepackt.
Plural	Die Geschenke	werden in den Karton	gelegt.

KOMMUNIKATION

Freude ausdrücken

Vielen Dank für Deine tollen Geschenke!
Schön, dass Du an mich gedacht hast. / …
… hat/haben mich sehr gefreut.
Ich liebe … / … mag … besonders gern.
… ist/sind super. / eine tolle Idee.
Ich bin sehr froh, dass …
Ich freue mich sehr auf …

Gleich geht's los! 15

Hören/Sprechen: über Fernsehgewohnheiten sprechen: *Ich sehe am liebsten …*

Lesen: Sachtext

Wortfeld: Medien

Grammatik: Verben mit Dativ und Akkusativ: *Er schenkt seinem Bruder eine DVD.*; Stellung der Objekte: *Er schenkt sie ihm.*

▶ 2 06 **1 Ein Fernsehabend**

a Sehen Sie das Foto an und hören Sie. Würden Sie diesen Krimi gern sehen?

b Sehen oder lesen Sie auch gern Krimis? Erzählen Sie.

Ja, besonders im Winter bei schlechtem Wetter.
Aber noch lieber sehe ich …

● Krimi

● Zuschauer

● Mediathek

● Darsteller

AB **2** **Was passt?**

Lesen Sie das Fernsehprogramm, sehen Sie ins Bildlexikon und ergänzen Sie.

Spiel & Spaß

TV-Programm Sonntag, 14.04.

ARD	ZDF	NDR	SAT.1	kabeleins
20:15 Tatort: Der Wald steht schwarz und schweiget TV-Krimi, D 2012	20:15 Der Super-Champion 2012 Quiz, D 2012, mit Jörg Pilawa	20:15 Donna Leon – Schöner Schein Kriminalfilm, D 2012, mit Uwe Kockisch u.a.	20:15 Jenseits von Afrika, Liebesfilm, USA 1985. Regie: Sydney Pollack. Mit Meryl Streep u.a.	20:15 Bill Cosby Show Serie, USA 1992.

Programm Sender Privatsender Spielfilm ______ ______

AB **3** **Der *Tatort***

Beruf

a **Welcher Textabschnitt passt? Überfliegen Sie den Text und ordnen Sie zu.**

1 Wer produziert den *Tatort*? ○
2 Warum hat der *Tatort* so viel Erfolg? ○
3 Was ist der *Tatort*? ○

TATORT ...

A ... so heißt die älteste, noch immer bestehende Krimiserie und zugleich eine der größten TV-Erfolgsgeschichten im deutschsprachigen Fernsehen. Millionen Zuschauer in Deutschland, Österreich und in der Schweiz sehen am Sonntagabend die neueste Folge. Aber auch die alten Fälle kommen immer wieder ins Programm, sodass man inzwischen fast jeden Tag
5 *Tatort* sehen kann. Manche Gaststätten und Kneipen organisieren am Sonntagabend sogar ein *Tatort*-Public Viewing. Und wer den neuen *Tatort* am Sonntag nicht gesehen hat, findet ihn danach noch sieben Tage lang im Internet: in der ARD-Mediathek.

B Was macht diesen Fernsehkrimi eigentlich so besonders? Ganz einfach: Die Zuschauer suchen Abwechslung, und der *Tatort* gibt sie ihnen. Er spielt in verschiedenen Städten und Regionen, und jeder Ort hat seine eigenen
10 Hauptdarsteller. So begegnet man zum Beispiel in Niedersachsen der kühlen Kommissarin Charlotte Lindholm aus Hannover, in Österreich dem einsamen Inspektor Moritz Eisner aus Wien, in Kiel dem brummigen Kommissar Borowski. Wer möchte, kann seinen Freunden auch *Tatort*-Sendungen mit seinem Lieblingsdarsteller kaufen und sie ihnen einfach als DVD-Box schenken.

C Fakten: Den *Tatort* gibt es seit 1970. Er ist eine Produktion der ARD, besser bekannt als Erstes Deutsches Fern-
15 sehen oder einfach: Das Erste. Das ist die Gemeinschaft von neun regionalen öffentlich-rechtlichen Sendern in Deutschland. „Öffentlich-rechtlich" bedeutet, dass es keine Privatsender sind. Auch das Schweizer Fernsehen (SF) und der Österreichische Rundfunk (ORF) produzieren *Tatort*-Sendungen. Früher wurde nur eine Folge pro Monat gedreht, heute sind es durchschnittlich drei. Mit 90 Minuten hat der *Tatort* Spielfilmlänge. Die Produktionskosten liegen bei knapp über einer Million Euro pro Folge.

b **Lesen Sie noch einmal und korrigieren Sie die Sätze. Schreiben Sie dann zwei eigene Aufgaben und tauschen Sie mit einem anderen Paar.**

1 Der *Tatort* ist die ~~jüngste~~ und erfolgreichste Krimiserie der ARD. älteste
2 Die neueste Folge wird am Samstag im Fernsehen gezeigt.
3 Den neuesten Fall kann man sieben Tage lang in Gaststätten gucken.
4 Die Fälle spielen nur in einer Gegend.
5 Die Kommissare werden in jeder Stadt von denselben Schauspielern gespielt.
6 „Öffentlich-rechtliche Sender" – das bedeutet, es sind private Sender.
7 Der *Tatort* ist so erfolgreich, dass inzwischen drei Krimis pro Woche gemacht werden.

• DVD • Regisseur • Fernbedienung • Sendung • Rundfunk

AB **4**

Der Tatort gibt sie ihnen.

a **Lesen Sie die Tabelle und markieren Sie in den Sätzen den Dativ grün und den Akkusativ rot.**

1 Sie können Ihren Freunden auch Tatortsendungen kaufen.
2 Er schenkt seinem Bruder eine DVD.
3 Der Tatort gibt den Zuschauern Abwechslung.

GRAMMATIK

Verben mit Dativ und Akkusativ

	Wem (Person)?		Was (Sache)?	
Sie können	Ihren Freunden	auch	Tatortsendungen	kaufen.

auch so bei: schenken, geben, empfehlen, bringen, schicken

Spiel & Spaß

b **Worauf beziehen sich die Pronomen? Markieren Sie und ergänzen Sie Pfeile.**

GRAMMATIK

Der Tatort gibt den Zuschauern Abwechslung.
Der Tatort gibt ihnen Abwechslung.
Der Tatort gibt sie ihnen.

1 Die Zuschauer suchen Abwechslung, und der Tatort gibt sie ihnen.

2 Sie können Ihren Freunden auch Tatortsendungen kaufen und sie ihnen als DVD schenken.

c **Würfelspiel: Wir schenken unserem Freund eine DVD. Arbeiten Sie zu viert auf Seite 161.**

AB **5**

Interviews: Was sehen Sie gern im Fernsehen?

▶ 2 07 **a** **Hören Sie die Statements. Welche Sätze hören Sie? Markieren Sie.**

(1) Ich sehe am liebsten den *Tatort*. | (2) Ich sehe den *Tatort* immer zusammen mit Freunden. | (3) Manchmal gucke ich ihn allein zu Hause, aber meistens zusammen mit einer Freundin. | (4) Dazu gibt's immer Erdnüsse und ein, zwei Gläschen Sekt oder Wein. | (5) Ich sehe oft den *Tatort*, aber ich habe keine feste Gewohnheit. | (6) Ja, den *Tatort*. | (7) Wenn ich am Sonntagabend keine Zeit habe, gucke ich ihn später in der Mediathek. | (8) Wir treffen uns am Sonntag immer in der Kneipe und sehen den neuen Fall gemeinsam. | (9) Meine Lieblingssendung ist der *Tatort*. | (10) Ich habe keine Lieblingssendung. | (11) Ich treffe mich an jedem Sonntagabend mit zwei Freundinnen. | (12) Dann kochen wir zusammen und anschließend sehen wir uns den neuen Tatort an.

b **Zu welchen Fragen passen die Sätze aus a? Sortieren Sie. Mehrere Lösungen sind möglich.**

Was sehen Sie gern im Fernsehen? 1, ______
Haben Sie eine Lieblingssendung/Lieblingsserie? ______
Wo, wann und mit wem sehen Sie sie? ______
Haben Sie bestimmte Gewohnheiten? ______

Diktat

c **Was sehen Sie gern im Fernsehen / auf DVD / im Internet? Machen Sie Notizen zu den Fragen in b und erzählen Sie. Benutzen Sie die Redemittel aus a.**

Ich sehe jeden Samstag um 18.00 Uhr die Sportschau. Ich treffe mich meistens mit zwei Freunden bei mir zu Hause. Danach essen wir gemeinsam.

AB 6 **Medienverhalten**

a Welche Medien nutzen Sie am häufigsten? Machen Sie eine Tabelle wie im Beispiel.

Fernsehen | Computer/Internet | Handy | Radio | DVD/Video-Player | CD-/MP3-Player | Bücher | Zeitungen | E-Book-Reader

Welche drei Medien nutzen Sie am häufigsten?	Was machen Sie?	Wann?	Wo?	Wie lange pro Tag/Woche/...?
Internet	mit Freunden chatten, soziale Netzwerke nutzen			knapp 2 Stunden pro Tag
Handy	SMS schreiben		überall, außer in der Badewanne	circa 1 Stunde am Tag
Fernsehen				

b Arbeiten Sie zu zweit und erzählen Sie.

interessant?

- ■ Welche Medien nutzt du am häufigsten?
- ● Am häufigsten bin ich im Internet. Außerdem schreibe ich sehr oft SMS und abends sehe ich gern fern.
- ■ Im Internet bin ich auch am häufigsten. Ich sehe mir oft Videos an. Und du?

...

Karaoke | Audiotraining

GRAMMATIK

Verben mit Dativ und Akkusativ		
	Wem? (Person)	Was? (Sache)
Sie können	Ihren Freunden auch	Tatortsendungen kaufen.
auch so bei: schenken, geben, empfehlen, schicken, wegnehmen, leihen, bringen, erzählen, zeigen, holen, schreiben		

Stellung der Objekte		
	Wem? (Person) Dativ	Was? (Sache) Akkusativ
Der Tatort gibt	den Zuschauern/ ihnen	Abwechslung.
	Was? (Sache) Akkusativpronomen	Wem? (Person) Dativ
Der Tatort gibt	sie	den Zuschauern./ ihnen.

KOMMUNIKATION

über Fernsehgewohnheiten sprechen

Ich sehe am liebsten / immer/ meistens ...
Ich treffe mich mit ...
Wir treffen uns bei ... / im ...
Manchmal gucke ich ... allein zu Hause, aber meistens zusammen mit ...
Ich sehe oft ..., aber ich habe keine feste Gewohnheit. Manchmal ...
Wenn ich am ... keine Zeit habe, gucke ich ... später in der Mediathek.
Dazu gibt's immer ...
Dann kochen wir zusammen und anschließend sehen wir ...
Danach/Anschließend ...
Meine Lieblingssendung ist ...
Ich habe keine Lieblingssendung.

Daniel macht einen Selbstversuch: Auch das Handy ist nicht erlaubt!

Eine Woche ohne Internet
– ein Selbstversuch

Wissenschaftler nennen einen Menschen wie mich *Digital Native.* Das heißt, ich bin nach 1980 geboren und mit der digitalen Technik aufgewachsen. Für mich ist der Umgang mit dem Internet deshalb ganz normal. Ich gehe entweder mit meinem Smartphone oder mit dem PC ins Internet. Ich kaufe, konsumiere und kommuniziere über das Internet. Ich telefoniere, recherchiere und 5 lerne damit. Aber ein paar Dinge mache ich noch analog, z.B. mich verlieben oder essen ☺. Stimmt es also, was Ältere sagen? Dass das Internet süchtig macht? Oder sind diese Ängste übertrieben? Ich will es genau wissen und starte einen Selbstversuch: Eine Woche ohne Internet und Handy. Geht das überhaupt?

Erster Tag:
10 Weil ich keine SMS oder E-Mails verschicken kann, suche ich unterwegs nach öffentlichen Telefonzellen. Vorher muss ich allerdings alle Telefonnummern auf einen Zettel schreiben. Vor allem die Nummer meiner Freundin. Ich muss sie so oft wie möglich anrufen. Schließlich bin ich 15 ihr schon *mit* Handy zu selten erreichbar. Nach dem dritten Anruf plane ich ein neues Projekt: Ich will meiner Freundin einen Brief schreiben!

Zweiter Tag:
Der Brief ist fertig. Ganz schön anstrengend, wenn man so 20 viel mit der Hand schreiben muss. Was nun? Ich stecke ihn in einen Briefumschlag und laufe zur Post. Am Schalter kaufe ich eine Briefmarke. Hinterher wird der Brief noch in den Briefkasten geworfen. Puh! Ganz schön aufwendig!

Dritter Tag:
25 In unserer Straße wird ein Haus abgerissen. Ich will spontan ein paar Fotos machen. Aber ohne Handy geht das nicht. Ich muss meine alte Kamera wieder ausgraben. Zum Glück sind bei meinem Selbstversuch wenigstens digitale Fotos erlaubt!

30 **Vierter Tag:**
Ich habe „Phantomschmerzen“: Ab und zu höre ich mein Handy klingeln oder fühle es in der Hosentasche vibrieren, obwohl es gar nicht da ist. Am Nachmittag habe ich plötzlich viel Zeit übrig. Wo kommt die denn her? Wahrschein- 35 lich, weil ich keine Serien im Internet angucke. Also sehe ich mir einen Spielfilm auf DVD an.

Fünfter Tag:
Meine Freundin hat den Brief bekommen! Sie hat sich so gefreut, dass ich ihr gleich noch etwas schicke: Ein Päck- 40 chen mit einem kleinen Geschenk (ein Parfüm). Das ist mal was Besonderes. Ich gebe das Päckchen am Schalter ab. Dieses Mal fühle ich mich wie ein Profi.

Sechster Tag:
Ich fahre zu einer Party und merke erst in der U-Bahn, dass 45 ich nicht weiß, wie ich hinkomme. Normalerweise informiere ich mich immer unterwegs – mit meinem Handy. Ich stehe sehr lange vor dem Fahrplan und schaue mir die Tabellen an. Schließlich bitte ich eine alte Dame um Hilfe. Sie erklärt mir, wie ich zum Ziel komme. Gar nicht 50 so schwer.

Siebter Tag:
Heute treffe ich mich mit meiner Mutter in der Stadt. Normalerweise ist sie immer total genervt, wenn ich nebenbei noch SMS schreibe. Diesmal habe ich mehr Zeit 55 für sie. Wir gehen in ein Restaurant und essen etwas zusammen.

Endlich, die Woche ist vorbei! Es war ganz schön anstrengend. Fazit: Ich hatte zwar weniger Kontakte, aber der einzelne Kontakt war länger und intensiver. Deshalb: Ganz ohne Internet leben will ich nicht, aber ich werde in Zukunft öfter mal eine internetfreie Woche planen.

1 Lesen Sie den Text und markieren Sie die passenden Aussagen zu den Fragen farbig.

Was kann Daniel nicht wie sonst machen? | Was muss er anders machen? | Was lernt er? | Wie findet er das?

2 Und Sie? Würden Sie auch gern eine internetfreie Woche machen? Erzählen Sie.

▶ Clip 5 **1** **In der Küche**

a Was kocht Lena? Sehen Sie den Anfang des Films (bis 0:50) und kreuzen Sie an.

Lena kocht ◯ Kartoffelsuppe. ◯ Labskaus.

b Welche Zutaten braucht Lena dafür? Sehen Sie den Film weiter und kreuzen Sie an.

◯ Kartoffeln
◯ Reis
◯ Fleisch
⊗ Hering
◯ Würstchen
⊗ Zwiebeln
◯ Bohnen
◯ Rote Bete
◯ Essiggurken
◯ Salatgurken

c Was passt? Sehen Sie den Film noch einmal und ordnen Sie zu. Nicht alle Lösungen passen.

Lena | Lenas Großvater | Weißwürste | süddeutsches | Melanies Großmutter | norddeutsches | Labskaus | Hamburg | Melanies Großvater | Seefahrer | Lenas Großmutter | Bayern | Melanie

1 Labskaus haben ______________________ nach Deutschland gebracht.
2 Es ist ein ______________________ Gericht.
3 ______________________ hat einmal im Monat Labskaus gekocht, als er noch gelebt hat.
4 ______________________ hat nie gekocht, er ist lieber spazieren gegangen.
5 Weißwürste sind eine Spezialität aus ______________________.
6 ______________________ isst man oft mit der Hand.

▶ Clip 5 **2** **Kulturelle Unterschiede beim Essen**

a Machen Sie Notizen zu den Fragen. Sehen Sie dann das Ende des Films (ab 2:08) noch einmal und vergleichen Sie.

1 Was sagt Melanie zu den Zutaten?
2 Was sagt Melanie, als sie das Labskaus probiert?
3 Was sagt Lena, als sie die Weißwürste probiert?
4 Zu welcher Mahlzeit isst man Weißwürste und wie findet Lena das?

b Und Sie? Wann haben Sie zuletzt ein neues Gericht gegessen? Erzählen Sie.

In Spanien habe ich Gazpacho gegessen. Das ist eine kalte Gemüsesuppe. Bei uns isst man nur warme Suppen. Gazpacho hat mir aber sehr gut geschmeckt.

1 Deutschkurse in Berlin. Was ist richtig?
Lesen Sie die Internetseite und kreuzen Sie an.

Ob Standardsprachkurse, Sprachkurse für den Beruf oder Kurse zur Prüfungsvorbereitung, wir haben für alle Wünsche das passende Angebot. Fragen Sie uns einfach!

▶ Weitere Informationen

Vier gute Gründe für eine Sprachreise bei *Auf nach Deutschland:*

1 Abwechslungsreiches Lernen in kleinen Gruppen
Bei uns lernen Sie mit Spaß und Erfolg. Sie lernen Deutsch in kommunikativen Situationen und arbeiten allein, zu zweit oder in Gruppen. Unsere Lehrer arbeiten mit modernen Medien und mit kreativen Methoden: Wir singen, spielen Theater, drehen Filme und vieles mehr. Denn schon seit über 20 Jahren ist unser Motto: Nur durch Abwechslung lernen Sie mit Spaß und Erfolg.

2 Zahlreiche Ausflüge und ein attraktives Freizeitprogramm
Bei den Ausflügen lernen Sie Berlin und seine Umgebung kennen. Sie treffen Menschen und erleben Kultur nicht nur im Kursraum. So können Sie das Gelernte gleich in die Praxis umsetzen.

3 Große Kursauswahl
Wir haben sicher den passenden Sprachkurs für Sie. Fragen Sie uns einfach! Wir beraten Sie gern.

4 Große Auswahl bei den Unterkünften
Egal, ob Hotel, Gastfamilie oder preiswertes Zimmer – wir haben die passende Unterkunft für Sie.

a In den Kursen werden viele unterschiedliche Sachen gemacht. ○
b Ausflüge müssen die Teilnehmer selbst organisieren. ○
c Die Sprachenschule bietet nur Anfängerkurse an. ○
d Die Schüler wohnen bei Gastfamilien. ○

2 Sie sind eine Woche lang in einem Deutschkurs.
Arbeiten Sie in Gruppen und entwerfen Sie Ihren „perfekten" Sprachkurs.
Machen Sie ein Plakat und präsentieren Sie Ihren Kurs.

Unser Programm in Innsbruck

Montag	9 – 11 Uhr Sprachkurs / Mittagessen in einem Kaffeehaus / Stadtführung
Dienstag	
…	

So läuft der Unterricht ab:
kleine Gruppen, wenig Grammatikübungen, viele Rollenspiele

So? ... Oder So?

○ Was du online bestellst, das bringe ich dir.
Ich bekomme leider nur sehr wenig dafür.
Meine Arbeit beim Paketdienst wird schlecht bezahlt.
Für den stressigen Job gibt's nur ein Minigehalt.
Ich wäre froh, wenn ich was Besseres hätte.
Trotzdem bin ich immer freundlich und nett.
Hier, dein Paket, ich gebe es dir.
Vielleicht gibst du mir ein Trinkgeld dafür?

(2) Schöne Welt! Es kostet so wenig Geld.
Preisvergleich. Das geht superleicht.
Über Nacht. Es wird nach Hause gebracht.
Wunderschön! So soll's weitergehen!
Wunderschön! So soll's immer weitergehen!

○ Ich muss nicht mehr aus meiner Wohnung gehen.
Ich muss nur noch in den Computer sehen.
Erst wird eingeloggt, dann suche ich was aus.
Ich brauche dafür nur eine Hand an der Maus.
Alles geht so einfach und so schnell.
Sogar mein Einkaufswagen ist virtuell.
Am Ende wird noch mal kurz geklickt:
„Danke, die Bestellung wurde abgeschickt!"

○ Falsche Welt! Ich verdiene kaum Geld.
Weißt du schon? Ich kann kaum leben davon.
Harte Zeit! Mein Job ist nicht leicht.
Gar nicht schön. So darf's nicht weitergehen!
Gar nicht schön. So darf es nicht mehr weitergehen!

▶ 2 08 **1 Sortieren Sie die Strophen. Hören Sie dann das Lied und vergleichen Sie.**

▶ 2 08 **2 Hören Sie noch einmal und singen Sie mit.**

Darf ich fragen, ob ...? 16

Hören/Sprechen: ein Zimmer buchen: *Haben Sie noch ein Zimmer frei?*; einen Weg beschreiben: *Gehen Sie am Frühstücksraum vorbei.*

Wortfeld: im Hotel

Grammatik: indirekte Fragen: *ob*, *wie lange*; lokale Präpositionen: *gegenüber von*, *an ... vorbei*, *durch*

1 Sehen Sie das Foto an und beantworten Sie die Fragen. Was meinen Sie?

Wo sind die Personen?
Wer sind sie?
Was passiert gerade?

Der Mann links hat ein Paket. Ich glaube, dass die Personen ...

▶ 2 09

2 Was passt? Hören Sie und ordnen Sie zu.

a Frau Thalau steht an der Rezeption
b Der Gast an der Rezeption
c Der Postbote bringt ein Paket und
d Die Anruferin

möchte eine Unterschrift.
möchte ein Zimmer reservieren.
beschwert sich, weil sein Zimmer schmutzig ist.
und wartet auf den Zimmerschlüssel.

• Einzelzimmer • Doppelzimmer • Nichtraucherzimmer • Sauna • Schwimmbad • Frühstücksraum

▶ 2 10 AB

3 Ich würde gern wissen, ob Sie noch ein Zimmer frei haben.

a Was passt? Hören Sie und kreuzen Sie an.

1 Die Personen machen eine Ausbildung in einem ○ Restaurant. ⊗ Hotel.
2 Frau Thalau bleibt zwei Nächte und bekommt ein ○ Doppelzimmer ○ Einzelzimmer nur mit ○ Frühstück. ○ Halbpension.
3 Herr Klein bekommt ein Zimmer mit ○ Halbpension. ○ Strandblick.
4 Für die Anruferin gibt es ○ kein Zimmer mehr. ○ noch ein Zimmer.

noch einmal?

b Wer sagt was? Hören Sie noch einmal und kreuzen Sie an.

	Rezeptionist	Frau Thalau	Herr Klein
1 Ich würde gern wissen, ob Sie noch ein Zimmer frei haben.	○	○	○
2 Darf ich fragen, wie lange Sie bei uns bleiben möchten?	○	○	○
3 Brauchen Sie ein Einzelzimmer oder ein Doppelzimmer?	○	○	○
4 Im Bad sind überall Haare.	○	○	○
5 Es tut mir leid, wenn Sie Ärger hatten.	○	○	○
6 Tut mir leid, wir sind ausgebucht.	○	○	○

Spiel & Spaß

c Höfliche Fragen mit *ob* und *wie lange*: Ergänzen Sie die Tabelle.

GRAMMATIK

Ja/Nein-Fragen	Haben Sie noch ein Zimmer frei?	Ich würde gern wissen, ______ Sie noch ein Zimmer frei haben.
Fragen mit Fragewort	Wie lange möchten Sie denn bei uns bleiben?	Darf ich fragen, ______ Sie denn bei uns bleiben möchten?

AB

4 Können Sie mir sagen, wann das Restaurant geöffnet hat?

a Im Hotel: Höfliche Fragen. Arbeiten Sie auf Seite 163. Ihre Partnerin / Ihr Partner arbeitet auf Seite 166.

Diktat

b Rollenspiele: Spielen Sie Gespräche im Hotel.

① **Hotelangestellte/-r:**
nur noch Doppelzimmer

Gast:
Einzelzimmer, 4 Nächte, Halbpension

KOMMUNIKATION

Guten Tag, kann ich Ihnen helfen?	Ich möchte ein Zimmer buchen. / Haben Sie noch ein Zimmer frei?
Darf ich fragen, wie lange Sie bleiben möchten? / Möchten Sie ein Einzel- oder ein Doppelzimmer?	Ich brauche ein … für … Nächte.
Wir haben noch ein …zimmer mit Frühstück oder Halbpension … Möchten Sie es buchen?	Ja, gern. Mit …
Hier ist Ihr Schlüssel. Ich wünsche Ihnen einen angenehmen Aufenthalt.	Vielen Dank!

• Bar • Rezeption • Konferenzraum • Fitnessraum • Restaurant • Parkplatz • Kiosk

(2) **Hotelangestellte/-r:**
Restaurant: Mo–Fr 6.30–22 Uhr, Sa. + So. 8–23 Uhr,
Sauna im Keller, Öffnungszeiten täglich 19–23 Uhr

Gast:
Öffnungszeiten Restaurant?
Sauna wo?

KOMMUNIKATION

Guten Tag, kann ich Ihnen helfen?	Ich möchte gern wissen, wann … geöffnet hat.
… hat von Montag bis Freitag von … bis … Uhr geöffnet und am Wochenende von … bis …	Sehr gut, vielen Dank. Und können Sie mir sagen, wo … ist?
… ist … Die Öffnungszeiten sind … Ich wünsche Ihnen viel Spaß.	Vielen Dank!

AB

5 Räume im Hotel

Spiel & Spaß

a Wählen Sie einen Raum/Ort aus dem Bildlexikon. Was machen Sie dort? Machen Sie eine Bewegung. Die anderen raten.

■ Ich glaube, dass du im Konferenzraum sitzt. Du findest die Sitzung langweilig.
● Nein.
▲ Bist du …

▶ 2 11

b Hören Sie und kreuzen Sie an.

interessant?

1 Der Gast sucht ◯ die Sauna. ◯ das Schwimmbad.
2 Die Sauna ist gegenüber ◯ von der Keller-Bar. ◯ vom Schwimmbad.
3 Der Gast war schon im ◯ Schwimmbad. ◯ Konferenzraum.

▶ 2 12
AB

6 Ist die Sauna gegenüber von der Keller-Bar?

Spiel & Spaß

a Ergänzen Sie. Hören Sie dann und vergleichen Sie.

gegenüber vom | am … vorbei | durch

1 Gehen Sie ______________ Frühstücksraum ______________!
2 Gehen Sie ______________ die Glastür!
3 Die Sauna liegt ______________ Schwimmbad.

GRAMMATIK

		Dativ			Akkusativ	
●	gegenüber von	einem/dem	Raum	durch	einen/den	Raum
●	an … vorbei	einem/dem	Restaurant		ein/das	Restaurant
●		einer/der	Bar		eine/die	Bar
●		zwei	Räumen		zwei	Räume

GRAMMATIK

! von dem = vom
an dem = am

b Wege beschreiben: Nach der Keller-Bar noch ein Stück geradeaus. Arbeiten Sie zu zweit auf Seite 164.

SPRECHTRAINING

7 Schließen Sie die Augen und beschreiben Sie einen Weg durch das Kursgebäude.
Sie starten im Kursraum. Wohin gehen Sie? Die anderen raten.

Audiotraining | Karaoke

GRAMMATIK

indirekte Fragen		
Ich würde gern wissen,	ob Sie noch ein Zimmer frei	haben.
Darf ich fragen,	wie lange Sie bleiben	möchten?
auch so: Können Sie mir sagen/erklären, … / Wissen Sie, … / Ich weiß nicht, …		

lokale Präpositionen *gegenüber von, an … vorbei* + Dativ			
•	gegenüber von / an … vorbei	einem/dem	Frühstücksraum
•		einem/dem	Restaurant
•		einer/der	Bar
•		zwei	Konferenzräumen

lokale Präposition *durch* + Akkusativ			
•	durch	einen/den	Frühstücksraum
•		ein/das	Restaurant
•		eine/die	Bar
•		zwei	Konferenzräume

einen Weg beschreiben

Am besten gehen Sie geradeaus / nach rechts / nach links / am Frühstücksraum vorbei / durch die Empfangshalle / …
Und dann gehen Sie durch die Glastür / ins Treppenhaus / in den Keller.
Nehmen Sie die Treppe nach unten/oben.
Die Sauna liegt/ist gegenüber vom Schwimmbad / neben … / zwischen … und …

KOMMUNIKATION

im Hotel: ein Zimmer buchen	
Guten Tag, kann ich Ihnen helfen?	Ich möchte ein Zimmer buchen. / Haben Sie noch ein Zimmer frei?
Darf ich fragen, wie lange Sie bleiben möchten? / Möchten Sie ein Einzel- oder ein Doppelzimmer?	Ich brauche ein … für … Nächte.
Wir haben noch ein …zimmer mit Frühstück / … Möchten Sie es buchen?	Ja, gern.
Hier ist Ihr Schlüssel. Ich wünsche Ihnen einen angenehmen Aufenthalt.	Vielen Dank.

im Hotel: um Informationen bitten	
Guten Tag, kann ich Ihnen helfen?	Ich möchte gern wissen, wann … geöffnet hat.
… hat von Montag bis Freitag von … bis … Uhr geöffnet und am Wochenende von … bis …	Sehr gut, vielen Dank. Und können Sie mir sagen, wo … ist?
… ist … Die Öffnungszeiten sind …	Vielen Dank!
Ich wünsche Ihnen viel Spaß.	

Wir wollen nach Rumänien. 17

▶ 2 13 **1** **Was ist richtig? Sehen Sie das Foto an, hören Sie und kreuzen Sie an.**

a Simone und Felix
◯ fahren in den Urlaub. ◯ kommen aus dem Urlaub zurück.
b Die Nachbarin soll ◯ auf sich ◯ auf das Haus aufpassen.
c Simone und Felix wollen
◯ eine Postkarte ◯ ein Tagebuch im Internet schreiben.

Beruf **2** **Mit welchen Verkehrsmitteln verreisen Sie gern? Erzählen Sie.**

- ■ Ich verreise gern mit dem Flugzeug, weil ich dann schnell am Urlaubsort bin.
- ● Ich fahre am liebsten ...

Sprechen: über Reisegewohnheiten sprechen

Lesen: Reisetagebuch im Internet

Schreiben: etwas kommentieren: *Das ist wirklich ärgerlich!*

Wortfelder: Reise und Verkehr

Grammatik: lokale Präpositionen: *am Meer, ans Meer*

Spiel & Spaß

3 Sehen Sie ins Bildlexikon. Beschreiben Sie ein Wort. Die anderen raten.

■ Wenn man ein Auto hat, muss man das vor dem Winter machen.
● Vielleicht muss man dann in die Werkstatt gehen?

AB

4 Unsere Reise nach Rumänien

a Welches Foto passt? Überfliegen Sie das Reisetagebuch und ordnen Sie zu.

Hallo, wir sind ein Pärchen aus München und verreisen gern mit unseren Motorrädern. Mit keinem anderen Fahrzeug kommt man so schnell mit den Menschen in Kontakt – außer mit dem Fahrrad vielleicht. Diesmal wollen wir bis ans Schwarze Meer, nach Rumänien. Wenn alles gut läuft, sind wir in vier Wochen am Meer. Wollt ihr wissen, was wir auf unserer Reise so erleben? Dann lest unser Reisetagebuch!
5 Viel Spaß dabei wünschen Felix & Simone

(A) 7.–14. Juli: Gleich nach unserer Abfahrt haben wir eine Reifenpanne. Zum Glück finden wir schnell eine Tankstelle mit Werkstatt. Felix wechselt seinen Reifen und ich tanke. Aber das Ganze kostet uns 10 Zeit. Insgesamt brauchen wir eine Woche durch Deutschland, Österreich und Ungarn. In Deutschland und Österreich benutzen wir noch viel die Autobahn. In Ungarn fahren wir nur auf kleinen Straßen. Wir überqueren fünfmal die Donau mit 15 einer Fähre. Dabei werden die Schiffe immer kleiner. Am Ende passt nur noch ein Motorrad hinein. Ganz schön gefährlich!

Muriel: Das überrascht mich. Mitten in Europa so kleine Fähren!

(B) 20 16. Juli: Hoppla! Da liegt Simone plötzlich auf der Seite. Tja, auf den Straßen in Rumänien muss man vorsichtig fahren. Besonders, wenn es geregnet hat. Nur die großen Straßen haben hier Asphalt. Aber genau das wollen wir ja! Zum Glück ist Simone 25 nichts passiert. Aber oft kommen wir schmutzig und müde im Hotel an. Wir duschen und ruhen uns aus. Wenn wir dann abends sauber zum Essen gehen, erkennt uns keiner wieder.

(C) Săpânța – 22. Juli: Seit gestern sind wir in Săpânța, 30 einem kleinen Dorf in der Region Maramures. Das ist ganz in der Nähe der ukrainischen Grenze. Wir wohnen in einem alten Bauernhaus. Auf dem Feld wird noch gearbeitet wie früher. Ohne Maschinen, nur mit Pferden. Das sieht romantisch aus, ist aber 35 sicher harte Arbeit. Dafür schmeckt das Gemüse toll. Zum Abendessen haben wir die besten Tomaten der Welt gegessen!

(D) Und jetzt kommt das Beste: Săpânța hat einen weltberühmten Friedhof mit vielen bunten Holz- 40 kreuzen. Und weil die Holzkreuze mit ihren bunten Farben gar nicht traurig aussehen, wird der Friedhof auch „der fröhliche Friedhof" genannt.

Jörg: Nicht zu glauben! Toll! So sollten unsere Friedhöfe auch aussehen.

(E) 45 Viseu de Sus – 25. Juli: Heute waren wir auf einem Markt in Viseu de Sus. Dort werden viele Lebensmittel und Tiere verkauft. Jemand hat auch Kassetten mit rumänischer Musik angeboten. Felix hat sich eine gekauft. Und stellt euch vor, was er 50 als Wechselgeld bekommen hat: einen Geldschein, eine Münze und ... zwei Kaugummis!

● Autobahn

● Fähre

● Schiff

● Wagen

● Motorrad

b Was ist richtig? Lesen Sie noch einmal und kreuzen Sie an.

1 Felix und Simone wollen mit dem Motorrad ans Schwarze Meer fahren. ○
2 Gleich nach der Abfahrt haben die beiden Probleme mit dem Motor. ○
3 Bei dem Unfall in Rumänien ist Simone etwas passiert. ○
4 Bei der Ankunft im Hotel sind die beiden oft müde. ○
5 Auf den Feldern sieht man keine Maschinen, aber viele Pferde. ○
6 In Rumänien gibt es keine bekannten Sehenswürdigkeiten. ○
7 Auf dem Markt in Viseu de Sus hat ihnen jemand rumänische Musik verkauft. ○

c Wörter im Text verstehen:
Arbeiten Sie zu zweit auf Seite 165.

INFO

für Sachen:	etwas	↔	nichts
für Personen:	einer	↔	keiner
	jemand	↔	niemand

Spiel & Spaß

d ***Wohin*** **und** ***Wo*****. Ergänzen Sie die Präpositionen. Hilfe finden Sie im Text in 4a.**

GRAMMATIK

Wohin?		*Wo?*	
______	Meer	______	Meer
an	die Küste	an	der Küste
an	den Bodensee/Strand	am	Bodensee/Strand
auf	eine Insel	auf	einer Insel
aufs	Land	auf	dem Land
in	die Wüste / die Berge / den Wald/Süden	in	der Wüste / in den Bergen
ins	Gebirge	im	Wald/Gebirge/Süden
nach	Săpânța/Berlin	______	Săpânța/Berlin
______	Rumänien/Deutschland	______	Rumänien/Deutschland

! in die Schweiz

! in der Schweiz

e Kettenübung: Wo warst du im Urlaub?

■ Ich war in den Bergen.
● Du warst in den Bergen?
■ Ja, wir sind in die Berge gefahren. Und du?
▲ Ich war auf einer Insel.
● Du warst auf einer Insel?
...

AB

Diktat

5 Schreiben Sie zu zweit vier Kommentare zu dem Reisetagebuch in 4a.
Tauschen Sie die Kommentare dann mit einem anderen Paar. Zu welchem Textabschnitt passen die Kommentare?

KOMMUNIKATION

Nicht zu glauben! Es gibt noch Sandstraßen in Europa / ...
So ein Zufall! Ich war auch schon einmal auf dem Friedhof / in ...
Die Straßen / Der Markt ... sehen/sieht schrecklich/toll/interessant/... aus.
Ist das nicht schön/spannend/langweilig/unangenehm/...?
Ich finde das toll/prima/schlimm/...
Das hat sicher Spaß gemacht.
Das war sicher/bestimmt anstrengend/interessant/ ...
So ein Pech! Das ist wirklich ärgerlich!

17 SCHREIBTRAINING

AB **6** **Geschichten-Lotterie**

a **Arbeiten Sie in Kleingruppen. Sie erhalten vier kleine Zettel und beschriften Sie. Sammeln Sie dann die Zettel ein und mischen Sie sie.**

1. Zettel: ein Ort (z.B. Strand, Kino, Büro, Fähre ...)
2. Zettel: eine Zeit (z.B. Sommer, Ostern, Semesterferien ...)
3. Zettel + 4. Zettel: je eine Person (z.B. beste Freundin, lustiger Kellner, glücklicher Busfahrer, trauriges Kind, netter Reiseführer ...)

ORT ZEIT PERSONEN

b **Ziehen Sie einen Ort, eine Zeit und zwei Personen. Planen Sie eine Geschichte in Ihrer Kleingruppe.**

Strand
lustiger Kellner
beste Freundin
Sommer

c **Schreiben Sie nun gemeinsam Ihre Geschichte.**

Letzten Sommer war ich mit meiner besten Freundin im Urlaub. Wir sind nach Brasilien geflogen.
Das Wetter war super. Wir waren viel in der Sonne am Strand und haben uns ausgeruht ...

Audiotraining | Karaoke

GRAMMATIK

Lokale Präpositionen	
Wohin? + Akkusativ (außer bei *nach*)	**Wo? + Dativ**
ans Meer	am Meer
an die Küste	an der Küste
an den Bodensee/Strand	am Bodensee/Strand
auf eine Insel	auf einer Insel
aufs Land	auf dem Land
in die Wüste / die Berge / den Süden/Wald	in der Wüste / den Bergen
ins Gebirge	im Wald/Gebirge/Süden
nach Rumänien/Berlin	in Rumänien/Berlin
! in die Schweiz	! in der Schweiz

KOMMUNIKATION

etwas kommentieren

Nicht zu glauben! Es gibt noch Sandstraßen in Europa / ...
So ein Zufall! Ich war auch schon einmal auf dem Friedhof / in ...
Die Straßen / Der Markt ... sehen/sieht schrecklich/toll/interessant/... aus.
Ist das nicht schön/spannend/langweilig/unangenehm/...?
Ich finde das toll/prima/schlimm/...
Das hat sicher Spaß gemacht.
Das war sicher/bestimmt anstrengend/interessant/ ...
So ein Pech! Das ist wirklich ärgerlich!

Ich freue mich auf Sonne und Wärme. 18

Sprechen: über das Wetter sprechen: *Im Herbst sind viele Schauer typisch.*

Lesen: Sachtext

Wortfeld: Wetter

Grammatik: Verben mit Präpositionen: *sich interessieren für*; Fragen und Präpositionaladverbien: *Worauf … ?*

▶ 2 14 **1 Was ist richtig? Sehen Sie die Fotos an, hören Sie und kreuzen Sie an.**

a Der Mann freut sich über die Kälte. ○
b Die Frau beschwert sich über die Hitze. ○

AB **2 Sommer oder Winter?**

a Was mögen Sie? Kreuzen Sie an, ergänzen und erzählen Sie.

Sommertyp	○ Sonne	○ Schwimmen	○ Eis	○ ________
Wintertyp	○ Schnee	○ Ski fahren	○ Glühwein	○ ________

b Sind Sie ein Sommer- oder ein Wintertyp? Machen Sie eine Kursstatistik.

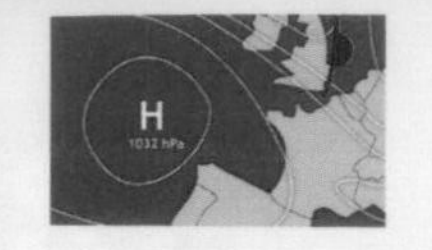

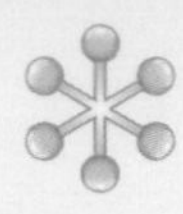

● Hoch ● Tief ● Temperatur trocken feucht ● Niederschlag ● Frost

AB

3 Ihre Meinung zum Wetter

▶ 2 15–16

a Hören Sie die Interviews und ordnen Sie zu.

1 Darf ich kurz mit Ihnen über	für Wintersport.
2 Haben Sie denn keine Lust	für Ihre Meinung zum Wetter.
3 Ich interessiere mich nicht	mit diesem schönen Sommertag.
4 Die meisten Menschen freuen sich	mit mir?
5 Sprechen Sie	auf Eis und Schnee?
6 Ich interessiere mich	Winter geträumt.
7 Ich denke, Sie sind so richtig zufrieden	diesen wunderbaren Winter sprechen?
8 Quatsch! Ich habe vom	über die Hitze.
9 Ich ärgere mich	auf einen heißen Tee.

b Lesen Sie die Sätze in a noch einmal und ergänzen Sie die Präpositionen und Endungen.

GRAMMATIK

Verben mit Präpositionen + Akkusativ	Verben mit Präpositionen + Dativ
Sie freuen sich ______ ein__ heißen Tee. Ich ärgere mich ______ die Hitze.	Sind Sie zufrieden ______ dies__ schönen Sommertag? Sprechen Sie ______ mir?
auch so: sprechen über, Lust haben auf, sich interessieren für	*auch so:* träumen von

c Schreiben Sie vier Sätze auf einen Zettel. Mischen Sie die Zettel, ziehen Sie einen neuen und lesen Sie vor. Die anderen raten: Wer hat das geschrieben?

Ich interessiere mich überhaupt nicht für …
Ich bin zufrieden mit …
Ich ärgere mich nie über …
Ich habe Lust auf …

AB

4 Und worauf freuen Sie sich?

Spiel & Spaß

a Ergänzen Sie. Hilfe finden Sie in der Tabelle.

Auf | auf | Darauf | darüber | mit | Worauf

■ Haben Sie denn gar keine Lust ____________ Eis und Schnee?
● Im Gegenteil: Ich ärgere mich ____________.

■ ____________ freuen Sie sich?
● ____________ Sonne, auf Wärme, auf den Sommer. ____________ freue ich mich.

▲ Sprechen Sie ____________ mir?
● Ja, ich spreche mit Ihnen.

GRAMMATIK

	sich freuen auf	sich ärgern über
Sachen	Worauf freust du dich? Auf den Sommer! Darauf freue ich mich.	Worüber ärgerst du dich? Über den Schnee! Darüber ärgere ich mich.
Personen	Auf wen freust du dich? Auf dich.	Über wen ärgerst du dich? Über dich.

auch so: mit → womit/damit; für → wofür/dafür, von → wovon/davon, …

b Interview: Worauf freust du dich? Arbeiten Sie zu zweit auf Seite 167.

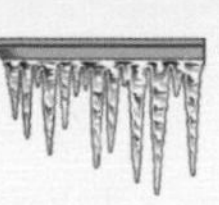

AB **5** **Wind und Wetter in den deutschsprachigen Ländern**

Spiel & Spaß

a Überfliegen Sie den Text und sehen Sie die Wetterkarten an. Aus welcher Himmelsrichtung kommt das Wetter? Notieren Sie. Hilfe finden Sie im Bildlexikon.

WIND & WETTER *in den deutschsprachigen Ländern*

Unser Wetter kommt vor allem aus zwei Himmelsrichtungen: Tiefdruckgebiete (Tiefs) kommen meist aus dem Westen und bringen feuchte Meeresluft mit vielen Niederschlägen und mittleren Temperaturen. Aus dem Osten kommen dagegen oft stabile Hochdruckgebiete (Hochs) mit Trockenheit und extremen Temperaturen. Wenn Regentropfen oder Schneeflocken fallen, ist also oft Westwind im Spiel. Die Temperaturen sind dann meist im Winter nicht niedriger als 0°C und im Sommer nicht viel höher als 20°C. Stabile Hitzeperioden mit 30°C und mehr kommen fast immer mit dem Ostwind zu uns, genau wie länger andauernde Kälte mit eisigen Temperaturen und Dauerfrost.

Hauptstadtwetter in	... Bern	... Berlin	... Wien
Durchschnittliche Jahrestemperatur	8,1°C	8,9°C	9,8°C
wärmster Monat	Juli (17,4°C)	Juli (18,5°C)	Juli (19,9°C)
kältester Monat	Januar (-1,0°C)	Januar (-0,6°C)	Januar (-1,4°C)

aus dem ____________

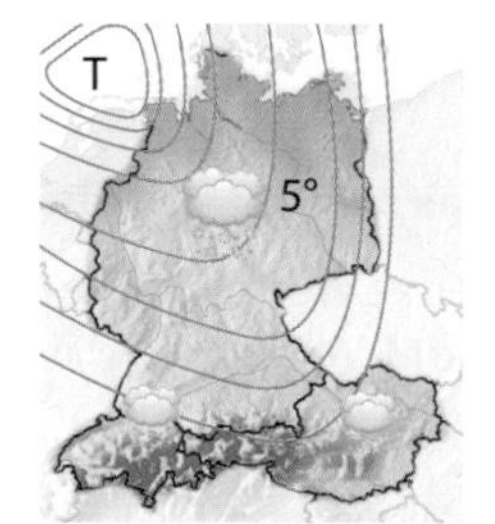

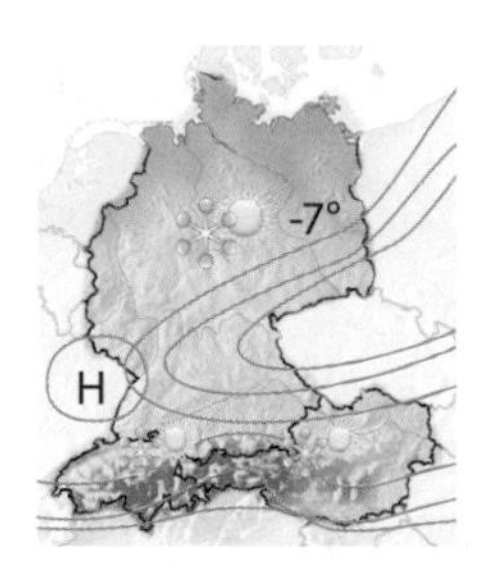

____

Beruf

b Lesen Sie noch einmal und beantworten Sie die Fragen. Schreiben Sie dann zwei eigene Fragen und tauschen Sie mit einem anderen Paar.

1 Woher kommt der Wind, wenn es viel regnet?
2 Es ist lange heiß und es sind über 30°C. Woher kommt das Wetter?
3 In welcher Hauptstadt ist die durchschnittliche Jahrestemperatur am niedrigsten?

AB **6** **Wie ist das Wetter an Ihrem Wohnort? Sprechen Sie.**

Diktat

a Wie ist das Wetter heute?
b Ist es typisch für die Jahreszeit? Wie ist es sonst zu dieser Jahreszeit?

KOMMUNIKATION

Wie ist das Wetter heute?	Es ist kalt/eisig/heiß/stürmisch/windig/trocken/ ... Es regnet/schneit/...
Ist das Wetter typisch für die Jahreszeit?	In ... sind/ist im Sommer/Winter/... Niederschläge/Schauer/... typisch. Die Temperaturen sind (sonst) nicht niedriger als / nicht höher als ... Es ist sonst wärmer/stürmischer/feuchter/... als heute/zurzeit. Normalerweise ist das Wetter in ...

7 Ratespiel: Wo bin ich?

a Wo sind Sie? Machen Sie Notizen.

Kontinent?	Europa
Jahreszeit?	Winter
Wetter?	nicht so kalt, regnet manchmal, um 0° C
Land?	Dänemark
Stadt?	Kopenhagen
Sehenswürdigkeiten?	die kleine Meerjungfrau

**b Beschreiben Sie die Jahreszeit, das Wetter und den Ort.
Die anderen raten den Kontinent, das Land und die Stadt.**

interessant?

- ■ Es ist Winter und nicht so kalt. Wir haben so um null Grad.
- ▲ Bist du in Europa?
- ■ Ja. Das Land ist sehr klein und liegt im Norden.
- ● Ich denke, dass du in Norwegen bist.
- ■ Nein, das stimmt nicht. Aber es ist nicht weit bis nach Norwegen.
- ● Vielleicht bist du in Dänemark.
- ■ Ja. In der Stadt gibt es viele Sehenswürdigkeiten …

Audiotraining | Karaoke

GRAMMATIK

Verben mit Präpositionen	
mit Akkusativ	**mit Dativ**
Sie freuen sich auf einen heißen Tee.	Sind Sie zufrieden mit diesem schönen Sommertag?
auch so: Lust haben auf sich interessieren für sich ärgern über sprechen über	*auch so:* sprechen mit träumen von

KOMMUNIKATION

über das Wetter sprechen

Wie ist das Wetter heute?
Es ist kalt/eisig/heiß/stürmisch/windig/trocken …
Es regnet/schneit/…

Ist das Wetter typisch für die Jahreszeit?
In … sind/ist im Sommer/Winter/… Niederschläge/Schauer/… typisch.
Die Temperaturen sind (sonst) nicht niedriger als / nicht höher als …
Es ist sonst wärmer/stürmischer/feuchter/… als heute/zurzeit.
Normalerweise ist das Wetter in …

Fragen und Präpositionaladverbien

	Sachen		Personen	
Verb mit Präposition	Fragewort wo + (r*) + Präposition	Präpositionaladverb da + (r*) + Präposition	Präposition + Fragewort	Präposition + Personalpronomen
sich freuen auf	Worauf …?	Darauf …	Auf wen … ?	Auf ihn/-/sie.
sich ärgern über	Worüber …?	Darüber …	Über wen … ?	Über ihn/-/sie.
sich interessieren für	Wofür …?	Dafür …	Für wen … ?	Für ihn/-/sie.

auch so: mit → womit/damit; von → wovon/davon
* bei Präpositionen mit Vokal: auf, über

Stadt, Land, Fluss – Erlebnis & Genuss!

Eine Kreuzfahrt entlang des Rheins

Erholung gesucht!

Sie ärgern sich über volle Strände und Stau auf der Autobahn? Sie fragen sich, ob Ihr Urlaub auch wirklich Entspannung bringt? Sie wollen sich erholen und trotzdem etwas erleben? Dann machen Sie Urlaub in Deutschland! Mit unseren Kreuzfahrtschiffen erkunden Sie traumhafte Städte am Rhein. Nutzen Sie unseren Wellness-Bereich und probieren Sie kulinarische Spezialitäten. Freuen Sie sich jetzt auf die Angebote in unserem neuen Katalog. Deutschland hat so viel zu bieten!

Eine Region erleben!

Sie lieben die Abwechslung? Sie interessieren sich für Land und Leute, aber auch für Kultur? Sie haben Lust auf regionalen Wein und gutes Essen? Dann sind Sie bei uns genau richtig! Der längste Fluss in Deutschland führt vorbei an alten Römerstädten wie Köln und Speyer. Wir fahren an grünen Weinbergen entlang, mitten durch ein typisch deutsches Weinanbaugebiet. Gemeinsam besuchen wir die Loreley und probieren besondere Weine.

Entspannt reisen!

Auf unseren Kreuzfahrtschiffen genießen Sie den vollen Komfort. Ob in Ruhe lesen, Sport treiben oder sich mit Freunden treffen: Lassen Sie den Alltag und den Ärger hinter sich. Wir sorgen dafür, dass Ihr Aufenthalt nicht nur so angenehm wie möglich, sondern unvergesslich wird. Interessiert? Dann sprechen Sie mit uns! Oder buchen Sie jetzt gleich. Egal wann, das Rhein-Gebiet ist zu jeder Jahreszeit wunderschön!

1 Welche Angebote können die Reisenden nutzen?
Lesen Sie und notieren Sie.

Städte am Rhein kennenlernen, ...

2 Wäre eine Flusskreuzfahrt etwas für Sie? Warum / Warum nicht? Erzählen Sie.

▶ Clip 6

1 In der Boutique

a Welche Kleidungsstücke sehen Sie? Sehen Sie den Anfang des Films (bis 1:22) ohne Ton und notieren Sie.

Schuhe, ______________________________

____

____

b Sehen Sie nun den ersten Teil des Films mit Ton (bis 2:00). Machen Sie Notizen zu den Fragen und vergleichen Sie dann mit Ihrer Partnerin / Ihrem Partner.

1 Warum braucht Melanie ein neues Kleid?
2 Wie findet Lena das Kleid?
3 Ist Melanie zufrieden?

c Und Sie? Welche Einkaufsgewohnheiten haben Sie? Erzählen Sie.

1 Gehen Sie gern einkaufen? Wann waren Sie zuletzt einkaufen?
2 Gehen Sie lieber allein oder mit einer Freundin / einem Freund einkaufen?
3 Was für ein Kleidungsstück haben Sie zuletzt gekauft? Beschreiben Sie.

Ich gehe gern shoppen. Gestern war ich mit einer Freundin in der Stadt. Ich habe mir einen tollen Rock gekauft. Er ist …

▶ Clip 6

2 Eine Wochenendreise

a Was passt? Sehen Sie den zweiten Teil des Films (ab 2:01) und ergänzen Sie die Namen.

1 ______________ möchte ______________ mit einer Wochenendreise überraschen.
2 ______________ ruft bei einer Pension in den Bergen an.
3 Sie reserviert ein Zimmer für ______________ und ______________.

b Korrigieren Sie. Sehen Sie dann den zweiten Teil des Films (ab 2:01) noch einmal und vergleichen Sie.

1 Melanie hat ihren ersten Hochzeitstag ~~schon genau~~ geplant. noch nicht
2 Sie möchte mit Max eine Woche verreisen.
3 Melanie möchte mit der Bahn fahren.
4 Lena kennt eine romantische Pension in der Schweiz.
5 Die Pension hat noch ein kleines Zimmer frei.
6 Lena reserviert ein Doppelzimmer mit Halbpension.

1 Lesen Sie den Text und sehen Sie die Karte an. Korrigieren Sie dann die Sätze.

Das Wetter in der Schweiz

Die Schweiz hat milde Sommer und kühle Winter. Aber es gibt regionale Unterschiede, denn die Alpen teilen die Schweiz in zwei Wetterzonen: Im Norden ist es kühler, im Süden wärmer. So liegen die Durchschnittstemperaturen im Norden im Sommer bei 17°C (Juli) und im Winter bei 1°C (Januar). Hier ist es auch windiger als im Süden. Im Süden liegen die Temperaturen im Sommer bei durchschnittlich 20°C und im Winter bei durchschnittlich 4°C. In den Bergen ist es natürlich noch kälter. Die Wintersaison mit Schnee und Eis beginnt Mitte Dezember und dauert bis Mitte April. Doch das Wetter hält sich oft nicht an Durchschnittswerte. Hier einige Wetterrekorde in der Schweiz:

LOCARNO-MONTI
heißester Ort
(11.5°C durchschnittliche Jahrestemperatur)

JUNGFRAUJOCH
kältester Ort
(- 7.9°C durchschnittliche Jahrestemperatur) und windigster Ort

SÄNTIS
am meisten Schnee

ACKERSAND
trockenster Ort

a Im Norden ist es wärmer als im Süden.
b In den Alpen dauert die Sommersaison vier Monate.
c Der heißeste Ort liegt im Norden.
d Am windigsten ist es im Osten.
e Den meisten Schnee an einem Tag hat man in Ackersand gemessen.

2 Wie ist das Wetter in Ihrem Heimatland/Lieblingsland?
Wählen Sie ein Land, recherchieren Sie und machen Sie ein Plakat. Präsentieren Sie dann Ihr Plakat im Kurs.

1 Das Wetter zu unterschiedlichen Jahreszeiten

	durchschnittliche Temperatur	Wetter
Frühjahr	9 °C	viel Regen, ...
Sommer		
Herbst		
Winter		

2 Gibt es Wetterrekorde?

kältester Ort	heißester Ort	am meisten Regen/ Schnee	trockenster Ort	windigster Ort	...

Können Sie mir sagen, wie ich von hier ans Meer komme?
Ich weiß nicht mal, wo ich gerade herkomme.
Ich habe Handtuch, Badehose, Sonnencreme
aber leider auch ein kleines Problem:
Ich weiß nicht, wo ich bin. Mein Navigator ist hin.

Sie fahren geradeaus, __________ dem Haus vorbei.
Dann __________ den Ort __________ zur Bäckerei.
Da fahren Sie dann nach __________ __________ zum ‚Freizeitland'.
Danach __________ den Wald und schon sind Sie __________ Strand.

Wo war denn diese Bäckerei? Ich habe keine gesehen.
Sicher bin ich schon vorbei. So kann's nicht weitergehen!

Hallo, können Sie mir sagen, wie ich von hier ans Meer komme?
Ich weiß nicht mal, wo ich gerade herkomme.
Ich habe Handtuch, Badehose, Sonnencreme,
aber leider auch ein kleines Problem:
Ich weiß nicht, wo ich bin. Mein Navigator ist hin.

Sie fahren jetzt hier __________ die Autobahn.
Nun __________ Golfplatz __________ und so
kommen Sie dann __________ einem Parkplatz, der ist
meistens leer.
Dahinter sehen Sie den Strand und das Meer.

Wo soll denn dieser Golfplatz sein? Ich habe keinen gesehen.
Ich frage lieber noch mal. So kann's nicht weitergehen!

Hallo, können Sie mir sagen, wie ich von hier ans Meer komme?
Ich weiß nicht mal, wo ich gerade herkomme.
Ich habe Handtuch, Badehose, Sonnencreme
aber leider auch ein kleines Problem:
Ich weiß nicht, wo ich bin. Mein Navigator ist hin.

Ich sehe schon: Das hat keinen Sinn.
Ich glaube, ich bringe dich hin.

Hey, wunderbar! Danke sehr!
Wir fahren zusammen ans Meer!

Ans Meer?

▶ 2 17 **1 Ergänzen Sie. Hören Sie dann das Lied und vergleichen Sie.**

am | am ... vorbei | an ... vorbei | bis | bis | durch | in | links | über | zu

▶ 2 17 **2 Gruppenarbeit: Planen Sie eine Pantomime zu dem Lied.**
Hören Sie dann noch einmal und spielen Sie Ihre Pantomime vor.

Wohin gehen wir heute? 19

▶ 2 18 **1** **Sehen Sie das Foto an und hören Sie.**
Wo ist Sascha und was macht er? Was meinen Sie?

Wo? Theater | Konzerthalle | Bar | Café | ...

Was? spielt Theater | trägt ein Gedicht vor | singt | ...

2 **Welche Veranstaltung haben Sie zuletzt besucht?**
Wie hat sie Ihnen gefallen?

Zuletzt war ich im Kino.
Der Film war ein bisschen langweilig,
aber die Schauspieler waren
ausgezeichnet.

Hören/Sprechen: jemanden überzeugen/begeistern: *Glaub mir. Das ist mal etwas anderes.*; auf Vorschläge zögernd reagieren: *Und das ist gut?*

Lesen: Veranstaltungskalender

Wortfeld: Veranstaltungen

Grammatik: lokale Präpositionen: *Woher? – vom/aus dem*

▶ 2 19 AB

3 Hört sich ja nicht so toll an ...

interessant?

a Was ist richtig? Hören Sie das Gespräch und kreuzen Sie an.

1 Was passiert bei einem Poetry Slam?

◯ Bekannte Schauspieler tragen Gedichte und Texte vor. Eine Jury stimmt über den besten Text ab.

◯ Jeder kann Gedichte oder Texte vortragen. Das Publikum stimmt über den besten Text ab.

2 Wohin gehen die Personen?

◯ Ins Kino. ◯ Zum Poetry Slam.

noch einmal?

b Kreuzen Sie an. Hören Sie dann noch einmal und vergleichen Sie.

1 Bruno kommt ◯ vom Sport. ◯ aus dem Kino.
2 Der Poetry Slam findet ◯ im Kino ◯ im Café Kurt statt.
3 Bruno möchte lieber ◯ zum Sport ◯ ins Kino gehen.
4 Jana meint, dass Pit recht hat:
◯ Zum Poetry Slam ◯ Zum Essen können sie jeden Tag gehen.

Spiel & Spaß

c Markieren Sie *im, ins, vom, aus dem* und *zum* in b und ergänzen Sie die Tabelle.

GRAMMATIK

	Woher?	Wo?	Wohin?
Orte	________ Kino/Café	________ Kino/Café	________ Kino/Café
Aktivitäten	______ Sport/Essen	beim Sport/Essen	______ Sport/Essen
Personen	vom Arzt / von Jana	beim Arzt / bei Jana	zum Arzt / zu Jana

4 *Woher, wo oder wohin?*

Comic

a Bewegungsspiel: Woher kommen Sie, wo sind Sie oder wohin gehen Sie? Sprechen Sie. Die anderen machen eine passende Bewegung.

Woher? Alle machen einen Schritt zurück.
Wo? Alle setzen sich.
Wohin? Alle machen einen Schritt nach vorn.

Ich bin im Schwimmbad.

b Fragen stellen: Wohin geht die Frau mit dem gelben Hut? Arbeiten Sie zu zweit auf Seite 168.

AB

5 Veranstaltungen

Spiel & Spaß

a Sehen Sie ins Bildlexikon und ergänzen Sie. Schreiben Sie dann drei eigene Rätsel für Ihre Partnerin / Ihren Partner.

1 Wenn eine Ausstellung eröffnet wird, dann nennt man das eine ________________.
2 Im ________________ können Sie Clowns und Artisten sehen.
3 Wenn Sie klassische Musik mögen, ist ein klassisches ________________ genau das Richtige für Sie.

• Oper • Musical • Zirkus • Stadtspaziergang • Fotoworkshop • Vortrag

b Lesen Sie das Programm und ergänzen Sie die passenden Veranstaltungen.

Tanzen | Ausstellung | Poetry Slam | Stadtspaziergang | Restaurant | Theater | Konzert

Was? Wo? Wann? – Veranstaltungskalender München

Poetry Slam
Wohin, wenn alles andere ausverkauft ist? Für den Poetry Slam im Café Kurt gibt es noch Karten!
Beginn 21:00 Uhr

______
Berühmte Münchner – wo haben sie gearbeitet und wie haben sie gelebt? Ein Themen-Spaziergang. Treffpunkt: 14:00 Uhr am Viktualienmarkt

______
Jazz: Michael Hornstein spielt heute ab 21:00 Uhr in der Piano-Bar.

______
Party in der „Roten Sonne". Der beliebte Club liegt auf der Partymeile zwischen Stachus und Sendlinger Tor.
Beginn 23:00 Uhr

______
Letzte Vorstellung: „Der Prozess" von Kafka in den Kammerspielen. Das sollten Sie auf keinen Fall verpassen!

______
Verlängert: Kunsthistorikerin Georgia Huber führt heute noch einmal durch die Kunsthalle.

______
Neueröffnung! Lust auf Italienisch oder Bayerisch? Warum nicht beides? Bei Angelo & Vroni gibt es sowohl Pizza als auch Knödel. Und zur Einweihung für jeden einen Aperol Sprizz!

AB **6 Jemanden überzeugen**

Diktat

a Ergänzen Sie das Gespräch.

Du hast recht. | Und das ist gut? | Das lohnt sich bestimmt. | Ich habe da einen Vorschlag

■ Wollen wir etwas unternehmen / zusammen weggehen?
______: …

▲ ______
Na ja. Also, ich weiß nicht. Das hört sich ja nicht so toll an. Ist das nicht eher langweilig/ uninteressant/ …?

■ Glaub mir. Das ist mal etwas anderes/ Neues/Besonderes. / Unsinn! Probier/ Versuch das doch mal. Sieh das doch positiv/nicht so negativ. Bist du denn gar nicht neugierig?
______ Und der Eintritt ist kostenlos / kostet nur … Euro.

▲ ______ /
Das ist wahr. / Schon gut. Ein Poetry Slam/… ist doch/ja wirklich mal etwas anderes/Neues/Besonderes. Lass uns da hingehen.

b Sie möchten etwas unternehmen. Lesen Sie den Veranstaltungskalender in 5b noch einmal und wählen Sie eine Veranstaltung. Spielen Sie ein Gespräch. Ihre Partnerin / Ihr Partner hat keine große Lust. Überzeugen Sie sie/ihn. Verwenden Sie Sätze aus a.

SCHREIBTRAINING

▶ 2 20 **7** **Wo, woher, wohin?**

a ***Wo, woher*** **oder** ***wohin*****? Lesen Sie das Gedicht und ergänzen Sie. Hören Sie dann noch einmal und vergleichen Sie.**

_______________ warst du so lange?
_______________ kommst du so spät?
_______________ gehst du schon wieder?

_______________ hast du deine Jacke vergessen?
_______________ hast du diese Blumen?
_______________ hast du den Brief geschickt?

_______________ ist dein Lachen geblieben?
_______________ kommt meine Angst?
_______________ ist unsere Liebe gegangen?

Wo, woher, wohin?
Oder sollte ich besser fragen: Wer?

b **Schreiben Sie eine neue Strophe zu dem Gedicht.**

Wo _______________?
Woher _______________?
Wohin _______________?

c **Machen Sie einen Poetry Slam im Kurs. Welches Gedicht gefällt Ihnen am besten? Machen Sie eine Abstimmung.**

Audiotraining | Karaoke

GRAMMATIK

Lokale Präpositionen			
	Woher?	**Wo?**	**Wohin?**
Orte	aus dem Kino/Café	im Kino/Café	ins Kino/Café
Aktivitäten	vom Sport/ Essen	beim Sport/ Essen	zum Sport/ Essen
Personen	vom Arzt / von Jana	beim Arzt / bei Jana	zum Arzt / zu Jana

KOMMUNIKATION

auf Vorschläge zögernd reagieren

Und das ist gut?
Also, ich weiß nicht. Das hört sich ja nicht so toll an.
Ist das nicht eher langweilig/uninteressant/…?

jemanden überzeugen/begeistern

Glaub mir. Das ist mal etwas anderes/Neues/Besonderes.
Unsinn!
Probier/Versuch das doch mal.
Sieh das doch positiv / nicht so negativ.
Bist du denn gar nicht neugierig?
Das lohnt sich bestimmt.

sich überzeugen lassen

Du hast recht. / Das ist wahr. / Schon gut.
Ein Poetry Slam/… ist doch/ja wirklich mal etwas anderes/Neues/Besonderes.
Lass uns da hingehen.

Ich durfte eigentlich keine Comics lesen. 20

Sprechen: Interesse/ Desinteresse ausdrücken: *Ich habe großes Interesse daran.*

Lesen: Magazintext

Wortfelder: Presse und Bücher

Grammatik: Präteritum Modalverben: *durfte, konnte, …*

1 Leseorte: Beantworten Sie die Fragen.

Wo lesen Sie?
Wann / Wie oft lesen Sie?

Ich lese am liebsten zu Hause in meinem Lieblingssessel, aber das schaffe ich nur selten. Ich habe zu wenig Zeit. Am meisten lese ich im Urlaub.

▶ 2 21

2 Was ist richtig?

Sehen Sie das Foto an, hören Sie und kreuzen Sie an.

a Das Mädchen auf dem Foto heißt Paula. ○
b Das Mädchen möchte am Rathaus Steglitz aussteigen. ○
c Das Mädchen steigt nicht an der richtigen Haltestelle aus. ○

• Comic

• Roman

• Krimi

• Zeitung

• Zeitschrift

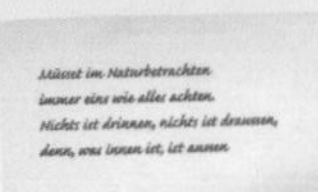

• Gedicht

• Märchen

AB **3** **Mein Lieblingsbuch aus der Kindheit**

Spiel & Spaß

a **Was war das Lieblingsbuch der Personen? Überfliegen Sie die Texte und notieren Sie den passenden Begriff aus dem Bildlexikon.**

(A) 

(B) 

(C) 

(D) 

A: ______ B: ______ C: Kinderbuch D: ______

MEIN LIEBLINGSBUCH AUS DER KINDHEIT

Haben Sie als Kind gern gelesen? Selbst wenn nicht – fast jeder hat mindestens ein Kinderbuch, das ihn durch die Kindheit begleitet hat, wie der geliebte Teddy oder die beste Freundin. Wir haben vier Menschen gefragt: Was war Ihr Lieblingsbuch?

(A) **Julius – „Bringt den Kessel mit dem geschmolzenen Käse!"**

Am liebsten habe ich Asterix-Comics gelesen. Obwohl ich eigentlich keine Comics lesen durfte. Also habe ich heimlich unter der Bettdecke gelesen. Mit einer Taschenlampe. Erst Jahre später hat meine Mutter auch mal ein Asterixheft gelesen. Sie hat gelacht und musste zugeben, dass das auch Literatur ist. Auf jeden Fall habe ich mit Asterix viel gelernt. Sogar Latein hat mir plötzlich Spaß gemacht. Ich kann allen Eltern nur raten: Egal, was Ihr Kind liest, Hauptsache, es liest. Am besten ist der 16. Band der Comic-Reihe, Asterix bei den Schweizern. Noch heute wird bei jedem Käsefondue daraus zitiert.

(B) **Anton – „Das elektrische Rotkäppchen"**

Als ich noch nicht selber lesen konnte, habe ich mir gerne Bilderbücher angeschaut. Mein Lieblingsbuch war das Märchenbuch von Janosch. Mein Vater musste mir das ganz oft vorlesen. Jeden Abend. Bis er nicht mehr mochte und mir das Hörbuch gekauft hat. Janosch hat die alten Märchen verändert. Zum Beispiel gibt es da ein elektrisches Rotkäppchen. Das ist total lustig.

(C) **Lucy – „Wir seien König Kumi-Ori das Zweit!"**

Ich habe alle Bücher von Christine Nöstlinger gelesen. Sie ist eine österreichische Autorin. Eines ihrer besten Kinderbücher ist der Gurkenkönig. Die Geschichte bringt mich mit 24 Jahren immer noch zum Lachen, wie damals! Der Gurkenkönig ist ein seltsames Kartoffelwesen. Er kommt aus dem Keller und zieht bei Familie Hogelmann ein. Er gibt dauernd Befehle und lässt sich bedienen. Außerdem spricht er mit völlig falscher Grammatik. Typische Mädchenbücher über Liebe oder Pferde mochte ich gar nicht. Aber meine kleine Schwester findet sie super. Heute lese ich gerne Krimis.

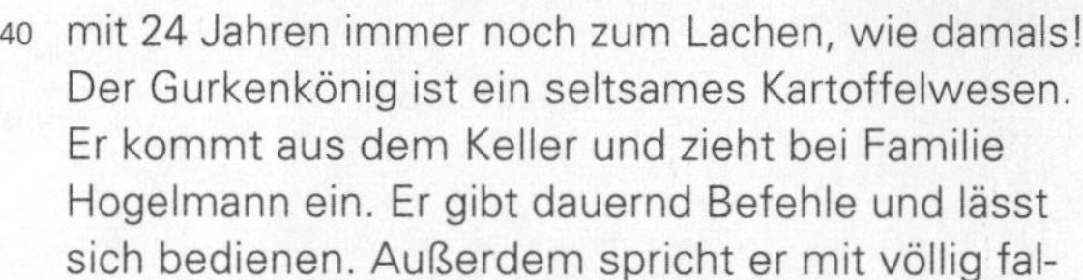

(D) **Anita – „Heidi – deine Welt sind die Berge!"**

Oh, ich habe so gern gelesen! Mit meinen Büchern wollte ich dem langweiligen Schulalltag entkommen. Ich habe eigentlich alles gelesen. Gedichte, Kurzgeschichten, ja sogar Sachbücher und die Zeitung von meinem Vater. Manchmal habe ich nur die Hälfte verstanden. Nur Schulbücher habe ich nicht gerne gelesen. Auch wenn ich die lesen sollte. Mein Lieblingsbuch? Am liebsten mochte ich Heidi. Das ist ein Roman von Johanna Spyri. Der wurde ja später oft verfilmt und ist auf der ganzen Welt bekannt. Wegen Heidi gehe ich noch heute gerne in die Berge. Ich habe das Buch bestimmt 10-mal gelesen. Und natürlich war ich in den „Geißenpeter" verliebt!

b **Zu wem passen die Aussagen? Lesen Sie die Texte noch einmal und notieren Sie die Namen.**

1 Auch Comics gehören zur Literatur. ______
2 Moderne Märchen gefallen mir sehr gut. ______
3 Die Berge erinnern mich noch heute an mein Lieblingsbuch. ______
4 Ich habe viel Neues erfahren. *Julius*
5 Wenn mir niemand vorgelesen hat, habe ich auch Hörbücher gehört. ______
6 Gut gefallen mir fantastische Geschichten mit Fantasiewesen. ______
7 Ich habe sehr viel gelesen, weil es in der Schule so langweilig war. ______
8 Typische Bücher für Mädchen waren mir zu langweilig. ______

AB **4** **Am liebsten mochte ich Heidi.**

Spiel & Spaß

a **Ergänzen Sie die passenden Modalverben im Präteritum. Hilfe finden Sie in der Tabelle und in den Texten in 3a.**

GRAMMATIK

	Präsens (jetzt)	Präteritum (früher)
ich er/sie	darf	durfte
	muss	musste
	kann	konnte
	mag	mochte
	will	wollte
	soll	sollte

1 Julius hat heimlich unter der Bettdecke Comics gelesen, weil er sie als Kind nicht lesen *durfte*.
2 Antons Lieblingsbuch war das Märchenbuch von Janosch. Das ______ sein Vater ihm vorlesen.
3 Anita ______ mit ihren Büchern den langweiligen Schulalltag vergessen.
4 Schulbücher haben ihr nicht gefallen. Auch wenn sie die lesen ______.

b **Aktivitäten-Bingo: Wer durfte/konnte/… was als Kind? Arbeiten Sie auf Seite 169.**

AB **5** **Was lesen Sie heute gern?**

Diktat

a **Welche Sätze passen? Machen Sie eine Tabelle.**

Na ja, es geht. | Nein, lieber … | Ja, und wie! | ~~Nicht so~~. | Das interessiert mich sehr. | Das interessiert mich überhaupt nicht. | Nicht besonders. | Nein, … finde ich ehrlich gesagt langweilig. | Doch, ich habe großes Interesse daran. | Sicher! Ich liebe … | Ratgeber/… finde ich furchtbar.

KOMMUNIKATION

Liest du gern Romane/…? / Interessierst du dich für …?
Interessiert dich das denn nicht? / Hast du überhaupt kein Interesse daran?

interessant?

b **Ergänzen Sie den Fragebogen und fragen Sie dann Ihre Partnerin / Ihren Partner.**

	Roman	Krimi	Comic	Sachbuch/ Ratgeber	Zeitung	Zeitschrift
Was interessiert Sie?	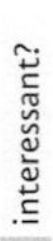					
Wann? / Wie oft?	*jeden Abend*					
Wo?	*im Bett*					

■ Liest du gern Krimis?
● Na ja, es geht. Am liebsten lese ich Romane.

AB **6** **Mein Buchtipp**

a Welches Buch möchten Sie empfehlen? Machen Sie Notizen.

spannend: konnte die ganze Nacht nicht schlafen | praktisch: konnte damit super abnehmen | romantisch: musste weinen | lustig: habe viel gelacht | interessant: habe viel über … gelernt/erfahren | traurig: … | …

Titel: Small World
Autor: Martin Suter
Genre: Roman
Warum?: spannend: konnte die ganze Nacht nicht schlafen;
interessant: Man erfährt viel über die Krankheit Alzheimer.

b Schreiben Sie nun eine Empfehlung und machen Sie eine Ausstellung im Kurs.

c Welche Bücher würden Sie gern lesen? Lesen Sie die Buchtipps der anderen Teilnehmer und wählen Sie drei Bücher.

Ich möchte euch den Roman „Small World" von Martin Suter empfehlen. Der Roman ist sehr spannend und wirklich interessant, denn man erfährt auch viel über die Krankheit Alzheimer. Es gibt auch einen Film zu dem Buch. Gerard Depardieu spielt die Hauptrolle. Der Film hat mir auch sehr gut gefallen.

Beruf

GRAMMATIK

Audiotraining | Karaoke

Modalverben: Präteritum

	können	**wollen**	**sollen**
ich	konnte	wollte	sollte
du	konntest	wolltest	solltest
er/es/sie	konnte	wollte	sollte
wir	konnten	wollten	sollten
ihr	konntet	wolltet	solltet
sie/Sie	konnten	wollten	sollten
	dürfen	**müssen**	**mögen**
ich	durfte	musste	mochte
du	durftest	musstest	mochtest
er/es/sie	durfte	musste	mochte
wir	durften	mussten	mochten
ihr	durftet	musstet	mochtet
sie/Sie	durften	mussten	mochten

KOMMUNIKATION

Interesse/Desinteresse ausdrücken

Liest du gern Romane/…?
Interessierst du dich für …?
Interessiert dich das denn nicht?
Hast du überhaupt kein Interesse daran?

Ja, und wie!
Das interessiert mich sehr.
Doch, ich habe großes Interesse daran.

Na ja, es geht.
Nicht so.
Nicht besonders.

Nein, lieber …
Das interessiert mich überhaupt nicht.
Nein, … finde ich ehrlich gesagt langweilig.

Ja genau, den meine ich. 21

1 Das darf doch alles nicht wahr sein!

a Sehen Sie das Foto an. Was meinen Sie? Was ist hier passiert? Wen ruft Herr Abelein an?

Was? Einbruch | Autounfall | …

Wen? Ehefrau | Polizei | Feuerwehr | Notarzt | Versicherung | …

Vielleicht hatte Herr Abelein einen Autounfall und ruft bei seiner Versicherung an.

▶ 2 22 **b** Hören und vergleichen Sie. Waren Ihre Vermutungen in a richtig?

2 Ist Ihnen so etwas auch schon einmal passiert? Erzählen Sie.

Ja. Ich war im Urlaub in … Jemand hat unser Auto aufgebrochen und meine Kamera gestohlen.

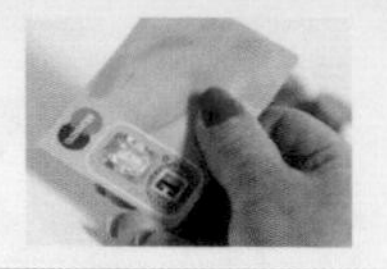

● EC-Karte

● Ausweis

● Bargeld

● Führerschein

AB | Spiel & Spaß

3 Welche Dokumente haben Sie dabei?

Sehen Sie das Bildlexikon zwei Minuten lang an. Schließen Sie dann das Buch. Ihre Kursleiterin / Ihr Kursleiter nennt ein Dokument. Haben Sie es dabei? Dann stehen Sie auf.

▶ 2 23 AB

4 Stimmen diese Angaben?

a Hören Sie das Gespräch und beantworten Sie die Fragen.

1 Wo ist Herr Abelein?
2 Hat Herr Abelein den Täter gesehen?
3 Was hat der Täter gestohlen?

noch einmal?

b Ordnen Sie zu. Hören Sie noch einmal und vergleichen Sie dann.

1 Herr Abelein hatte seine Jacke in der Wohnung vergessen
2 Er hat seine Geldbörse in das Auto gelegt
3 Als er wieder unten war,
4 Der Mann hat die Autoscheibe eingeschlagen,
5 Der Mann war ungefähr 1,80 m groß,
6 In dem Geldbeutel waren
7 Zum Schluss zeigt die Polizistin
8 Herr Abelein erkennt den Täter wieder

die Geldbörse gestohlen und ist weggelaufen.
Herrn Abelein ein paar Fotos.
und kann der Polizistin sagen, wer es war.
hatte ein schmales Gesicht und dunkle Haare.
und wollte sie holen.
und das Auto abgesperrt.
hat er einen Mann mit einem Hammer gesehen.

240 Euro in bar, zwei EC-Karten und eine Kreditkarte.

c Lesen Sie den Gesprächsausschnitt, markieren Sie *welch-* und *dies-*, *der* und *den* und ergänzen Sie die Tabelle.

■ Oh ja! Ich glaube, der da war es!
● Welcher denn? Der?
■ Nein, dieser da.
● Welchen meinen Sie? Nummer 4?
■ Ja, genau, den meine ich. Der war's.

GRAMMATIK

Nominativ	Akkusativ
● ______? – ______/______ /hier.	______? – Diesen /______ da/hier.
● Welches? – Dieses/Das da/hier.	
● Welche? – Diese/Die da/hier.	
● Welche? – Diese/Die da/hier.	

AB | Diktat

5 Alibi-Spiel: Arbeiten Sie auf Seite 170.

● Gesundheitskarte

● Kundenkarte

● Telefonkarte

● Kreditkarte

AB **6** **Gute Tipps**

a Was sollten Sie vor bzw. nach einem Einbruch machen? Überfliegen Sie den Flyer und notieren Sie die Nummern.

Vor einem Einbruch: Tipp ________ bis Tipp ________
Nach einem Einbruch: Tipp ________ bis Tipp ________

10 PRIMA TIPPS, WIE SIE EINBRECHERN DAS LEBEN SCHWER MACHEN KÖNNEN:

1 Machen Sie eine Liste von allen Wertgegenständen in der Wohnung!
2 Lassen Sie ein Sicherheitsschloss in Ihre Wohnungstür einbauen!
3 Schließen Sie immer gut ab, wenn Sie nicht zu Hause sind!
4 Legen Sie Ihren Wohnungsschlüssel nie unter die Fußmatte!
5 Lassen Sie in Erdgeschosswohnungen alle Fenster sichern!
6 Lassen Sie Ihren Briefkasten vom Nachbarn leeren, wenn Sie länger weg sind!
7 Wenn es trotzdem zu einem Einbruch kommt, rufen Sie die Polizei.
8 Fassen Sie nichts an! Vielleicht gibt es Fingerabdrücke von den Tätern.
9 Sind EC- oder Kreditkarten weg? Lassen Sie sie sofort sperren!
10 Lassen Sie nach dem Einbruch kaputte Fenster und Türen sofort reparieren!

b Lesen Sie die Tipps noch einmal. Was machen Sie auch? Markieren Sie. Haben Sie noch andere Tipps? Notieren Sie. Sprechen Sie dann in Kleingruppen.

Meine Tipps:
abends brennt Licht, wenn ich in Urlaub bin, ...

■ Ich habe eine Liste mit Wertgegenständen.
● Echt? Die habe ich nicht. Aber das ist eine gute Idee.
▲ Meine Fenster haben ein Sicherheitsschloss.
■ Meine nicht, aber ich wohne auch nicht im Erdgeschoss. Aber wenn ich in Urlaub bin, brennt abends das Licht.

c Was ist richtig? Lesen Sie Tipp 6 noch einmal und kreuzen Sie an.

GRAMMATIK

	Das mache ich selbst.	Das machen andere für mich.
Ich leere meinen Briefkasten.	○	○
Ich lasse meinen Briefkasten leeren.	○	○

GRAMMATIK

ich	lasse
du	lässt
er/sie	lässt

AB **7** **Kartenspiel: Meinen Anzug muss ich ändern lassen.**
Arbeiten Sie zu viert auf Seite 171.

AB 8 Tausch-Börse

a Was würden Sie gern von anderen machen lassen? Notieren Sie drei Tätigkeiten.

Das würde ich gern machen lassen:	Das biete ich an:	Meine Tauschpartner:
Babysitten	kochen	Claudette
Hemden bügeln	...	

b Wer kann das für Sie machen? Und was machen Sie dafür? Suchen Sie Personen im Kurs und notieren Sie die Namen. Wer findet in fünf Minuten die meisten Tauschpartner?

- ■ Claudette, ich suche einen Babysitter. Könntest du das machen?
- ● Ja, klar. Das mache ich gern für dich. Könntest du dafür mein Fahrrad reparieren? Das würde ich gern reparieren lassen.
- ■ Tut mir leid, aber das kann ich nicht so gut. Ich könnte dir etwas kochen. Ich koche sowieso jeden Tag.
- ● Das klingt gut. Ich koche gar nicht gern.

interessant?

Audiotraining | Karaoke

GRAMMATIK

Frageartikel *welch-?* – Demonstrativpronomen *dieser, der*

Nominativ		Akkusativ		Dativ	
● Welcher?	Dieser. / Der da.	Welchen?	Diesen. / Den da.	Welchem?	Diesem. / Dem da.
● Welches?	Dieses. / Das hier.	Welches?	Dieses. / Das hier.	Welchem?	Diesem. / Dem hier.
● Welche?	Diese. / Die da.	Welche?	Diese. / Die da.	Welcher?	Dieser. / Der da.
● Welche?	Diese. / Die dort.	Welche?	Diese. / Die dort.	Welchen?	Diesen. / Denen dort.

Verb *lassen*

ich	lasse
du	lässt
er/es/sie	lässt
wir	lassen
ihr	lasst
sie/Sie	lassen

Ich lasse meinen Briefkasten leeren.

KOMMUNIKATION

um einen Bericht / eine Beschreibung bitten

Wo waren Sie?
Was haben Sie gemacht?
Gibt es dafür Zeugen?
Können Sie das/ihn/sie näher beschreiben?
Worüber haben Sie gesprochen?
Erzählen Sie doch mal!

etwas berichten/beschreiben

Wir haben über ... gesprochen.
Ich kann dazu nur sagen, dass ...
Daran kann ich mich nicht mehr erinnern.

Vier Menschen – *vier Meinungen*

Der neue *James Bond* ist angelaufen. Endlich! Wie kommt er beim Publikum an? Wir vom Filmmagazin *Zelluloid* wollen es genau wissen und fragen vier Leute nach dem Kinobesuch.

Zelluloid: Und, wie hat Ihnen der neue *James Bond* gefallen?

Christian: Supergut! Wie jeder *James Bond*. Aber dieser hier ist einer der besten überhaupt. Und ich kenne sie alle! Ich bin nämlich ein großer *James Bond*-Fan. Wenn ein neuer *James Bond* ins Kino kommt, sehe ich ihn mir sofort an. In einem *James Bond* steckt einfach alles drin: Humor, Action und Spannung. Diesmal konnte ich sogar meine Freundin überreden. Dabei mag sie Actionfilme nicht so gern, weil sie ein bisschen ängstlich ist. Bis jetzt musste ich meistens mit ihr in Liebesfilme gehen. Beim letzten Liebesfilm musste sie sogar weinen!

Nina *(lacht):* Ja, das stimmt. Als wir das letzte Mal im Kino waren, durfte ich den Film auswählen. Christian musste mit mir in einen Liebesfilm mit furchtbar tragischem Ende gehen. Dafür durfte er dieses Mal entscheiden. Aber ich muss sagen: Der Kinobesuch hat sich zum Glück gelohnt. Der Film hat mir ausgezeichnet gefallen! Christian hat recht: *James Bond* ist wirklich cool!

Zelluloid: Und wie hat Ihnen der Film gefallen?

Rike: Mir? Ehrlich gesagt – überhaupt nicht! Heute Morgen habe ich in der Zeitung gelesen, um was es geht. Die Geschichte fand ich interessant und ich habe spontan beschlossen: Da gehe ich hin! Aber von der Geschichte bleibt nicht viel übrig. Es wird einfach zu viel herumgeballert und ständig fliegt ein Auto durch die Luft. Sicher, es ist ein Actionfilm. Aber was dieser *James Bond* alles überlebt! Das finde ich albern. So ein Quatsch!

Jörg: Na ja. Ganz so schlimm ist es nicht. Ich sehe mir sonst auch lieber kleine, leise Filme an. In den *James Bond* bin ich nur gegangen, weil meine Enkel unbedingt wollten. Als ich so alt war wie sie, war James Bond für mich schließlich auch der Coolste. *Mein* James Bond war Sean Connery. Und der meiner Kinder Roger Moore. Die *James Bond*-Filme verbinden die Generationen. Das finde ich gut!

1 Wer sagt was? Lesen Sie und kreuzen Sie an.

	Christian	Nina	Rike	Jörg
a Der Film hat eigentlich eine interessante Story.	○	○	○	○
b Für mich gibt es nichts Besseres als *James Bond*-Filme.	○	○	○	○
c Als Kind war ich ein großer *James Bond*-Fan.	○	○	○	○
d Mein Freund hat den Film ausgesucht, aber ich fand ihn ziemlich gut.	○	○	○	○
e Der neue *James Bond* ist besonders toll.	○	○	○	○
f *James Bond*-Filme sind etwas für die ganze Familie.	○	○	○	○

2 Und Sie? Kennen Sie *James Bond*-Filme und wie gefallen sie Ihnen? Erzählen Sie.

FILM-STATIONEN *Clip 7*

1 Ein romantisches Wochenende

Sie planen ein romantisches Wochenende. Wie würden Sie verreisen und wohin würden Sie fahren? Erzählen Sie.

in die Berge | ans Meer | aufs Land | auf eine Insel | nach Paris | ...

▶ Clip 7

2 In der Werkstatt

a Was ist richtig? Sehen Sie den Film und kreuzen Sie an.

1 Max besucht Christian an seinem Arbeitsplatz. ○
2 Max möchte Melanie zum Hochzeitstag überraschen. ○
3 Max braucht einen Rat. ○

b Ordnen Sie zu. Sehen Sie dann den ersten Teil des Films (bis 2:21) noch einmal und vergleichen Sie. Nicht alle Lösungen passen.

Küchenschrank | alte | schnelle | Firma | Hobby | Schreiner | neue | langsame | Mechatroniker | Kleiderschrank | Beruf | Werkstatt

1 Christian interessiert sich für ________________ Autos.
2 Max gefallen ________________ Autos.
3 Autos reparieren ist Christians ________________.
4 Christian ist Versicherungsberater von ________________.
5 Max ist ________________ von Beruf.
6 Er hat eine eigene ________________.
7 Seine Abschlussarbeit war ein ________________.

▶ Clip 7

3 Christians Tipp

a Was ist richtig? Kreuzen Sie an. Sehen Sie dann den zweiten Teil des Films (ab 3:08) noch einmal und vergleichen Sie.

1 Christian erzählt von einer wunderschönen ○ Autofahrt ○ Radtour in die Berge.
2 ○ In der Schweiz ○ In Österreich waren Christian und Lena in einer tollen Pension.
3 Der Besitzer kam aus ○ Hamburg. ○ München.
4 Für das nächste Wochenende hat das Hotel
○ leider kein Zimmer mehr frei. ○ zum Glück noch ein Zimmer frei.

b Wie geht die Geschichte weiter? Was meinen Sie?

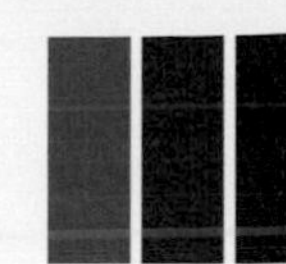

1 Was ist richtig? Lesen Sie den Text und kreuzen Sie an.
Korrigieren Sie dann die falschen Sätze.

Lesen macht klug!

Wer liest, ist klüger und erfolgreicher in der Schule. Die Freude an Büchern beginnt mit dem Vorlesen in der Kindheit. Es macht Lust auf Lesen und Lernen, ist gut für die Konzentration und die Intelligenz, fördert die Sprachentwicklung und die Kreativität. Trotzdem wird zu wenig vorgelesen und viele Kinder in Deutschland wachsen ohne Bücher auf. Dagegen möchten Vorlese-Initiativen etwas unternehmen, die *Lesewelt Hamburg e.V.* zum Beispiel. Der Verein organisiert wöchentliche Vorlese-Nachmittage für Kinder von vier bis zehn Jahren an verschiedenen Orten in Hamburg. Mehr als 70 ehrenamtliche Vorleser und Vorleserinnen arbeiten für den Verein und lesen den Kindern vor. Ehrenamtlich bedeutet: Man bekommt für seine Arbeit kein Geld. Der Eintritt zu den Vorlese-Nachmittagen ist natürlich frei und so besuchen 3000 Kinder jedes Jahr diese Lesungen.

		richtig	falsch
a	Vorlesen ist wichtig für Kinder.	○	○
b	In Deutschland wird genug vorgelesen.	○	○
c	Der Verein *Lesewelt Hamburg* macht monatliche Lesungen für Kinder.	○	○
d	Er hat mehr als 70 Angestellte.	○	○
e	Die Vorlese-Nachmittage sind kostenlos.	○	○

2 Ehrenamtliche Projekte in Ihrem Heimatland / einem Land Ihrer Wahl

a Recherchieren Sie und machen Sie Notizen zu den Fragen.

1 Was für ein Projekt ist das?

____

2 Was machen die Mitarbeiter in dem Projekt?

____

3 Würden Sie bei dem Projekt mitarbeiten? Warum / Warum nicht?

____

b Schreiben Sie einen kurzen Text und präsentieren Sie Ihr Projekt im Kurs.

Herr Kraus musste raus

Herr Kraus musste raus, Frau Klein konnte nicht rein,

Herr Munther sollte runter und Frau Stauff wollte nicht rauf.

Nur der Herr Klar durfte bleiben, wo er war.

Frau Hein musste ____________, Herr Bach konnte nur ____________,

Frau Lingen sollte ____________ und Herr Möhr wollte nicht ____________.

Nur die Frau Nolte durfte machen, was sie wollte.

Herr Klos musste los, Frau Marten konnte nicht warten,

Herr Klarwein sollte schon da sein und Frau Behn wollte jetzt gehen.

Nur der Herr Eiben durfte liegen bleiben.

Frau Rasch musste ____________, Herr Pocher konnte ____________,

Frau Hacker sollte ____________ und Herr Lutz wollte ____________.

Nur die Frau Schön durfte schon nach Hause gehen.

▶ 2 24 **1 Was mussten/konnten/sollten/wollten die Personen?**
Sehen Sie die Zeichnungen an und ergänzen Sie. Hören Sie dann und vergleichen Sie.

▶ 2 24 **2 Hören Sie das Lied noch einmal und singen Sie mit.**

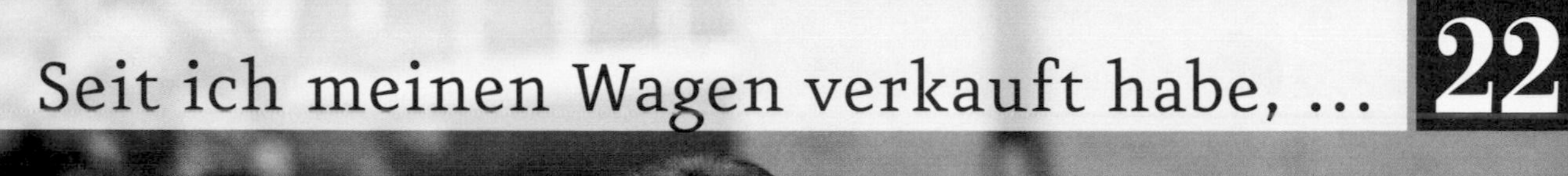

22 Seit ich meinen Wagen verkauft habe, ...

Sprechen: etwas erklären: *Das ist ganz einfach. Zuerst müssen Sie …*

Lesen: Anleitungen

Wortfelder: Internet/ Online-Anmeldungen

Grammatik: Konjunktionen *bis*, *seit(dem)*

▶ 2 25 **1 In der Stadt unterwegs**

a Sehen Sie das Foto an, hören Sie und beantworten Sie die Fragen.

Wo ist Frau Radic?
Wohin will sie?
Wen ruft sie an?

Frau Radic ist am Bahnhof.
Sie …

b Was meinen Sie? Was für eine Karte hat Frau Radic in der Hand?

anmelden/● Anmeldung | anklicken | einloggen | ● Benutzername | ● Passwort

AB **2** **Carsharing – eine sinnvolle Alternative?**

▶ 2 26 **a Welcher Podcast passt? Hören Sie den Anfang der Radiosendung und kreuzen Sie an.**

Radio D – Podcast-Service

Heute: Carsharing* wird immer beliebter.

○ Wir haben Carsharing-Nutzer gefragt: Warum brauchen Sie kein eigenes Auto?

○ Wo können Sie Mitglied werden? Verschiedene Carsharing-Organisationen stellen sich vor.

* man besitzt kein eigenes Auto, man teilt eines mit anderen

▶ 2 27 **b Zu wem passen die Aussagen? Hören Sie die Sendung weiter und notieren Sie: Dana Radic (DR), Carola Böck (CB), Ingo Friedrich (IF), der Radiomoderator (RM).**

noch einmal?

1 Die Person meint, dass man ohne Auto Geld sparen kann, weil man z.B. keine Kfz-Steuern bezahlen muss. IF
2 Die Person braucht circa einmal pro Woche ein Auto: zum Einkaufen und für Besuche bei einer Freundin. Die Freundin wohnt etwas außerhalb. Man kann sie mit öffentlichen Verkehrsmitteln nicht gut erreichen. ___
3 Carsharing lohnt sich, wenn man höchstens 5000 Kilometer pro Jahr fährt. ___
4 Die Person muss beruflich viel reisen und nutzt dabei viele verschiedene Verkehrsmittel. So ist sie flexibel und reist auch preiswert und umweltfreundlich. ___

▶ 2 27 **c Ordnen Sie zu. Hören Sie dann noch einmal und vergleichen Sie.**

1 Seit meine Freundin am Stadtrand wohnt,
2 Ich hatte ein eigenes Auto,
3 Bis man einen Parkplatz findet,
4 Ich bin sehr viel unterwegs,
5 Ich glaube, es dauert nicht mehr lange,

bis die meisten Geschäftsleute so reisen.
seitdem ich als Firmenberaterin arbeite.
fahre ich immer mit dem Auto zu ihr.
ist man mit dem Fahrrad schon lange am Ziel.
bis ich gemerkt habe: Das lohnt sich nicht.

AB **3** **Seitdem ich als Firmenberaterin arbeite, ...**

Spiel & Spaß

a Ergänzen Sie *seit/seitdem* oder *bis* und vergleichen Sie dann mit Übung 2c.

GRAMMATIK

Nebensatz	**Hauptsatz**
______ meine Freundin dort wohnt,	fahre ich immer mit dem Auto zu ihr.
______ man einen Parkplatz findet,	ist man mit dem Fahrrad schon lange am Ziel.
Hauptsatz	**Nebensatz**
Ich hatte ein eigenes Auto,	______ ich gemerkt habe: Das lohnt sich nicht.
Ich bin sehr viel unterwegs,	______ ich als Firmenberaterin arbeite.

b Seitdem wir auf dem Land wohnen, ...
Arbeiten Sie auf Seite 172. Ihre Partnerin / Ihr Partner arbeitet auf Seite 175.

4 Und so einfach geht's.

a Lesen Sie die Anleitung und sortieren Sie. Hilfe finden Sie im Bildlexikon.

Und so einfach geht's:

- ○ Das Fahrzeug zurückbringen und mit der Chipkarte abschließen.
- ○ Einmal mit Ihrem Führerschein und dem Vertrag zur Filiale kommen und Ihre Chipkarte abholen.
- ① Online bei MC anmelden.
- ○ Ein Fahrzeug in Ihrer Nähe wählen und mieten.
- ○ Losfahren.
- ○ Zweimal den Vertrag ausdrucken.
- ○ Sich mit Ihren Zugangsdaten bei MC einloggen.
- ○ Das Fahrzeug mit Ihrer Chipkarte öffnen.

MobilCity
mein Carsharing
- an jedem Tag
- rund um die Uhr
- in über 100 Städten

b Vergleichen Sie Ihr Ergebnis aus a mit Ihrer Partnerin / Ihrem Partner.

■ Zuerst muss man sich online bei MC anmelden.
▲ Ja, und danach soll man den Vertrag zweimal ausdrucken. Dann …

AB

5 Ein Handy-Ticket buchen

a Ergänzen Sie die Verben.

anklicken | bestätigen | eingeben | heruntergeladen | ~~öffnen~~ | wählen

1 m.bahn.de *öffnen*

2 Auskunft und Buchung ____________

3 Verbindung ____________ und Ticket/Reservierung ____________

4 Benutzername und Passwort ____________

5 Fahrkarte wird auf Ihr Handy ____________

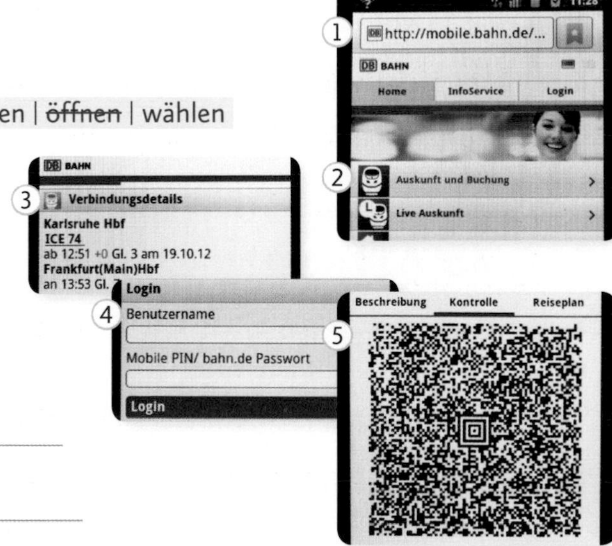

Spiel & Spaß

b Sie möchten ein Handy-Ticket buchen. Spielen Sie Gespräche.

KOMMUNIKATION

Wie geht das? Können Sie mir das erklären? Können Sie mir sagen, wie das funktioniert?	Kein Problem! Gern. / Na klar! Das ist ganz einfach. Zuerst müssen Sie … Dann/Danach/Und dann … Zuletzt müssen Sie …

■ Ich möchte ein Ticket mit dem Handy buchen. Wie geht das?
▲ Das ist ganz einfach. Zuerst musst du die Seite m.bahn.de öffnen. Dann musst du …

Diktat

c Was haben Sie zuletzt im Internet bestellt/gebucht? Erzählen Sie.

SPRECHTRAINING

AB **6 Welche Verkehrsmittel nutzen Sie? Interviewen Sie Ihre Partnerin / Ihren Partner.**

interessant?

	zur Arbeit		für Einkäufe		in der Freizeit	
	Sommer	Winter	Sommer	Winter	Sommer	Winter
Auto					X	
Bus/U-/S-Bahn, ...	Bus (bei Regen)	X				
Fahrrad	X		X	X	X	
Motorrad/Mofa						
zu Fuß			X	X	X	
Zug						
Flugzeug						
andere Verkehrsmittel						

- ■ Mit welchen Verkehrsmitteln fährst du im Sommer normalerweise zur Arbeit?
- ▲ Im Sommer fahre ich meistens mit dem Fahrrad zur Arbeit. Nur wenn es stark regnet, nehme ich den Bus.
- ■ Welche Verkehrsmittel nutzt du für Einkäufe?
- ▲ Das mache ich zu Fuß oder mit dem Fahrrad.
- ■ Welche Verkehrsmittel nutzt du in der Freizeit?
- ▲ Wenn ich ..., dann ...

Audiotraining

Karaoke

GRAMMATIK

Konjunktionen *bis, seit(dem)*	
Nebensatz	**Hauptsatz**
Seit(dem) sie dort wohnt,	fahre ich immer mit dem Auto zu ihr.
Bis man einen Parkplatz findet,	ist man mit dem Fahrrad schon lange am Ziel.
Hauptsatz	**Nebensatz**
Ich hatte ein eigenes Auto,	bis ich gemerkt habe: Das lohnt sich nicht.
Ich bin sehr viel unterwegs,	seit(dem) ich als Firmenberaterin arbeite.

KOMMUNIKATION

etwas erklären	
Wie geht das? Können Sie mir das erklären? Können Sie mir sagen, wie das funktioniert?	Kein Problem! Gern. / Na klar! Das ist ganz einfach. Zuerst müssen Sie ... Dann/Danach/Und dann ... Zuletzt müssen Sie ...

Der Beruf, der zu mir passt. 23

▶ 2 28 **1** **Sehen Sie das Foto an, hören Sie und beantworten Sie die Fragen. Was meinen Sie?**

Wie geht es dem Mann?
Warum?

Ich glaube, dass der Mann zufrieden ist. Vielleicht ist Gartenarbeit sein Hobby und er freut sich, dass …

2 **Welche Tätigkeit macht Sie glücklich? Erzählen Sie.**

Ich bin glücklich, wenn ich segeln gehen kann.

Sprechen: Zufriedenheit/Unzufriedenheit ausdrücken: *Ich bin sehr zufrieden damit.*

Lesen: Klappentext

Wortfelder: Schule und Ausbildung

Grammatik: Relativpronomen und Relativsatz im Nominativ und Akkusativ: *Das ist das Buch, das mein Sohn gelesen hat.*

● Schule ● Note ● Zeugnis mündliche ● Prüfung schriftliche ● Prüfung ● Schulabschluss

AB **3** **Liebe die Arbeit, die du machst!**

a Was ist richtig? Überfliegen Sie den Text und kreuzen Sie an.

1 Mark Brügge ○ empfiehlt das Buch. ○ ist der Autor.
2 Das Buch beantwortet Fragen zum Thema:
○ Wie finde ich einen Beruf, der zu mir passt? ○ Wie bewerbe ich mich richtig?

„Jeder junge Mensch, der von der Schule kommt, sollte dieses Buch lesen. Aber auch Leute, die mit ihrer Ausbildung oder ihrem Beruf unzufrieden sind, werden es mit großem Gewinn lesen."
SÜDDEUTSCHER MERKUR

Ein sehr empfehlenswertes Buch für ALLE Jugendlichen, die vor dem Schulabschluss stehen.
RHEIN-MAIN-BOTE

Ein Mensch, der nicht weiß, was er will – so einer war auch Mark Brügge. Nach dem Abitur hat er ein Medizinstudium angefangen, hat schon nach einem Semester wieder aufgehört, hat eine Lehre als Elektroinstallateur begonnen und ist drei Monate nach Ausbildungsbeginn an die Universität zurückgegangen. Aber auch das Jurastudium war ‚nicht sein Ding', also hat er wieder etwas Neues ausprobiert, bis er irgendwann sicher war: „Den Beruf, der zu mir passt, finde ich nie." Doch dann trifft er einen alten Mann, der schon 40 Jahre als Schreiner arbeitet, und der ihm einen wichtigen Rat gibt: „Vergiss all die Jobs, die du machen könntest und liebe die Arbeit, die du machst." Mark Brügge hat auf den alten Mann gehört und ist nun schon seit vielen Jahren ein zufriedener Landschaftsgärtner. Für junge Leute, die heute von der Schule kommen und nicht wissen, welche Ausbildung sie machen sollen, hat Mark Brügge dieses Buch geschrieben. Es heißt „Liebe die Arbeit, die du machst!" und ist voll mit guten Tipps, wie man Probleme bei der Berufswahl und in der Ausbildung lösen kann.

b Lesen Sie noch einmal und kreuzen Sie an.

	richtig	falsch
1 Nach dem Abitur hat Mark Brügge ein Semester Medizin studiert.	○	○
2 Danach hat er eine Lehre als Elektroinstallateur abgeschlossen.	○	○
3 Das Jurastudium hat ihm besonders gut gefallen.	○	○
4 Mark Brügge hat auch ein paar Jahre als Schreiner gearbeitet.	○	○
5 Heute ist er Landschaftsgärtner und liebt seine Arbeit.	○	○
6 Das Buch soll jungen Menschen bei der Berufswahl helfen.	○	○

c Würden Sie das Buch lesen? Warum / Warum nicht?

Ich würde das Buch nicht lesen. Ich mag keine Ratgeber.

AB

4 Ein Mensch, der nicht weiß, was er will.

Spiel & Spaß

a Ergänzen Sie. Hilfe finden Sie im Text in 3a.

GRAMMATIK

	Nominativ	Akkusativ
● Das ist ein Mensch,	_______ nicht weiß, was er will.	! den ich mag.
● Das ist das Buch,	das so empfehlenswert ist.	das …
● Das ist die Arbeit,	die zu mir passt.	die …
● Das Buch ist für alle Jugendlichen,	_______ vor dem Abschluss stehen.	die …

Comic

b Relativsätze üben: Das ist der Kollege, der …
Arbeiten Sie auf Seite 173. Ihre Partnerin / Ihr Partner arbeitet auf Seite 176.

▶ 2 29–31
AB

5 Bist du mit deinem Job zufrieden?

a Hören Sie die Aussagen und notieren Sie: zufrieden ☺, neutral 😐 oder unzufrieden ☹?

☹ 1 Ich bin gar nicht zufrieden mit meiner Ausbildung. Immer muss ich kopieren und Kaffee kochen. Das ist langweilig und _______________.
____

◯ 2 Ich bin Architektin von Beruf. _______________
Meine Arbeit ist interessant und das Betriebsklima in unserer Firma ist prima. _______________

◯ 3 Eigentlich bin ich Ingenieurin, aber zurzeit arbeite ich als Verkäuferin. _______________ Ich kann hier Teilzeit arbeiten und mich um meine kleine Tochter kümmern.

b Hören Sie noch einmal und ergänzen Sie.

Damit bin ich super zufrieden. | das ärgert mich | Der Job ist nicht toll, aber okay. | Ich habe wirklich genug. | So macht Arbeiten Spaß.

Diktat

c Interviewen Sie Ihre Partnerin / Ihren Partner. Machen Sie Notizen und erzählen Sie dann.

	Bist du mit … zufrieden?	Warum / Warum nicht?
Beruf/Job/Ausbildung		
Tätigkeiten	überhaupt nicht	langweilig
Einkommen		
Arbeitszeiten/Urlaub		
Kollegen/Chef	nein	Chef: immer schlechte Laune

KOMMUNIKATION

☺	😐	☹
Ja, ich bin (sehr) zufrieden damit. Mein Job /… ist sehr interessant/… Ich finde meinen Beruf /… prima/gut/schön. Mein Beruf /… macht mir großen Spaß.	Na ja, es geht. Der Job ist okay.	Nein, ich bin (sehr) unzufrieden damit. Nein, überhaupt nicht. Ich habe keine Lust mehr. Ich habe genug. Immer muss ich … Das ärgert mich. / Das stört mich. Deshalb möchte ich … Das habe ich fest vor.

AB **6** **Das deutsche Schulsystem**

Sehen Sie das Schema an und schreiben Sie Aufgaben wie im Beispiel. Welcher Schultyp passt zu den Personen? Fragen Sie im Kurs.

Spiel & Spaß

Ulla, 14, will Medizin studieren

Simon, 8, geht nicht gern in die Schule. Er möchte später als Schreiner arbeiten.

In Deutschland hat jedes Bundesland ein eigenes Schulsystem.
Hier eine einfache Grafik:

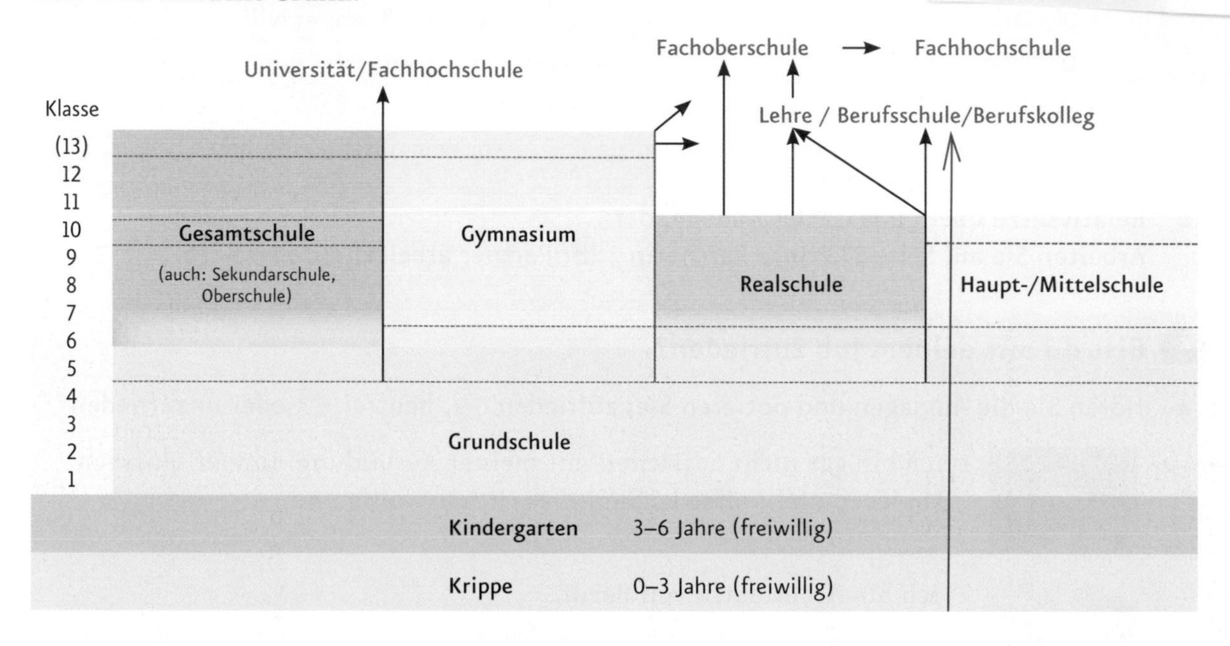

■ Ulla ist 14 Jahre alt und will Medizin studieren. Welcher Schultyp passt zu ihr?
▲ Sie kann zum Beispiel ein Gymnasium oder eine Gesamtschule besuchen. Sie muss das Abitur machen, dann kann sie auf die Universität.

Audiotraining | Karaoke

GRAMMATIK

Relativpronomen und Relativsatz

	Nominativ	Akkusativ
● Das ist der Beruf,	der zu mir passt.	den ich liebe.
● Das ist das Buch,	das so empfehlenswert ist.	das ich so gern gelesen habe.
● Das ist die Arbeit,	die zu mir passt.	die ich liebe.
● Das sind die Jobs,	die zu uns passen.	die ich machen könnte.

KOMMUNIKATION

Zufriedenheit/Unzufriedenheit ausdrücken

Bist du mit deinem Beruf / deiner Ausbildung / deinem Job zufrieden?

☺	Ja, ich bin (sehr) zufrieden damit. Mein Job /… ist sehr interessant/… Ich finde meinen Beruf /… prima/gut/schön. Mein Beruf /… macht mir großen Spaß.
😐	Na ja, es geht. Der Job ist okay.
☹	Nein, ich bin (sehr) unzufrieden damit. Nein, überhaupt nicht. Ich habe keine Lust mehr. Ich habe genug. Immer muss ich … Das ärgert mich. / Das stört mich. Deshalb möchte ich … Das habe ich fest vor.

24 Wie sah dein Alltag aus?

▶ 2 32 **1 Sehen Sie das Foto an, hören Sie und beantworten Sie die Fragen. Was meinen Sie?**

Wo sind die Leute auf dem Foto?
Warum sind sie dort?

2 Wann haben Sie zuletzt jemanden am Flughafen/Bahnhof abgeholt? Erzählen Sie.

Letztes Jahr habe ich zusammen mit drei Freundinnen eine Freundin vom Flughafen abgeholt. Wir hatten Blumen und eine Flasche Sekt dabei.

Sprechen: Begeisterung ausdrücken: *Das war ein tolles Jahr mit vielen schönen Erlebnissen.*; Enttäuschung ausdrücken: *Es war keine schöne Zeit.*

Lesen: Mitarbeiterporträt

Wortfelder: Mobilität, Reise, Ausland

Grammatik: Präteritum *kam, sagte, …*

- Zoll

- Grenze

- Konsulat

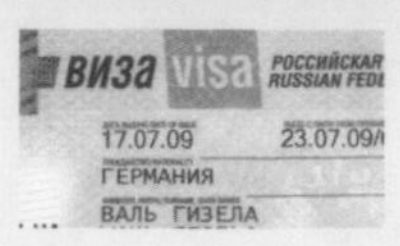

- Visum

- Impfung

Spiel & Spaß

3 Was passt? Arbeiten Sie zu zweit. Sehen Sie ins Bildlexikon und notieren Sie. Schreiben Sie dann zwei eigene Rätsel und tauschen Sie mit einem anderen Paar.

a Das brauchen Sie für eine Reise ins Ausland. Sie können es beim Konsulat beantragen: *Visum*.
b Sie liegt zwischen zwei Ländern. Hier gibt es oft Kontrollen: ______
c Sie können ihn verlängern, wenn er nicht mehr gültig ist: ______

AB

4 Ärzte ohne Grenzen – Mitarbeiterporträt

Beruf

a Was passt? Überfliegen Sie das Mitarbeiterporträt und ergänzen Sie die Fragen.

Hast du schon mal ein ähnliches Projekt gemacht? | Waren die Vorbereitungen kompliziert? | Was hast du vermisst? | Was ist die schönste Erinnerung an deine Arbeit? | ~~Was war deine letzte Arbeitsstelle in Deutschland?~~ | Welche Pläne hast du für die Zukunft? | Wie sah dein Alltag aus?

Patricia Günther (32) ist Hebamme und war sechs Monate lang für Ärzte ohne Grenzen im Sudan. Was hat sie erlebt? Was hat ihr besonders gut gefallen? Was hat sie vermisst?

5 *Was war deine letzte Arbeitsstelle in Deutschland?*
Ich habe als freiberufliche Hebamme gearbeitet.

______
Ja, das war mein zweites Projekt für Ärzte ohne Grenzen.

10 ______
Es geht. Ich habe mein Visum kurz vor meinem Abflug am Flughafen bekommen. Vom Arzt habe ich ein paar Impfungen bekommen. Außerdem war mein Pass nicht mehr gültig. Ich musste ihn verlängern 15 lassen.

______
Welche Erfahrungen hast du gemacht?
Ich kam in ein kleines Krankenhaus und sollte dort ein Team leiten. Ich bin meistens sehr früh aufge- 20 standen. Nach einem kleinen Frühstück habe ich erst mal die Büroarbeit gemacht und sagte der Sekretärin, was sie tun soll. Das Mittagessen musste leider oft ausfallen. Es war einfach zu viel Arbeit da. Ich war immer ganz schön müde, wenn ich gegen sieben 25 Uhr abends nach Hause kam. Und dann musste ich jede zweite Nacht auch noch mal raus. Oft gab es eine Zwillingsgeburt oder eine Geburt mit Komplikationen.

Was hast du in deiner Freizeit gemacht?
30 Wir haben gern Musik gehört. Manchmal haben wir auch mit den nationalen und den internationalen Kollegen Volleyball gespielt. Das hat viel Spaß gemacht. Oft haben wir uns auch einfach nur unterhalten.

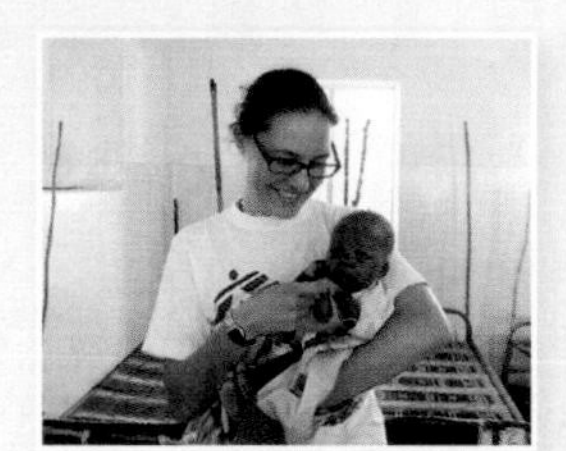

Patricia Günther

Was hat dir am besten gefallen?
Die wirklich gute Zusammenarbeit mit den Kollegen 35 und der nahe Kontakt zu den Frauen und ihren Babys.

______
Meine Eltern und meine Geschwister. Meine Freunde. Zum Glück konnte ich ab und zu chatten. Leider hat 40 das Internet nicht immer funktioniert.

Was hat dir am meisten von zu Hause gefehlt?
Schokolade, Salat und Obst. Außerdem konnte ich leider nicht schwimmen gehen.

______
45 Jetzt feiere ich erst mal Weihnachten mit meiner Familie. Aber ich bin bald wieder für Ärzte ohne Grenzen unterwegs. Im Januar fliege ich nach Nigeria.

______
50 Oh, es gibt so viele! Jede Geburt war ein tolles Erlebnis. Jeder Tag hat neue Erfahrungen gebracht. Aber am besten hat mir gefallen, dass meine Arbeit so sinnvoll war. Der Kontakt zu all den Frauen und Kindern war wunderschön. Alle sagten, dass sie 55 mich sehr vermissen werden.

Würdest du so ein Projekt weiterempfehlen?
Aber ja! Das würde ich auf jeden Fall. Ich fand es wirklich toll.

b **Lesen Sie den Text noch einmal. Sind die Sätze richtig? Kreuzen Sie an. Schreiben Sie vier eigene Aussagen und tauschen Sie mit Ihrer Partnerin / Ihrem Partner.**

1 Patricia Günther hat als Krankenschwester im Sudan gearbeitet. ○
2 Sie hat dort auch ein Team geleitet. ○
3 Nachts musste sie auch oft ins Krankenhaus, wenn es komplizierte Geburten gab. ○
4 Die Zusammenarbeit mit den Kollegen war nicht sehr gut. ○
5 Von zu Hause hat sie am meisten Schokolade, Gemüse und Obst vermisst. ○

AB

5 Ich kam in ein kleines Krankenhaus.

Spiel & Spaß

a **Markieren Sie alle Vergangenheitsformen im Text in 4a. Ergänzen Sie dann die Tabelle mit den Präteritumformen.**

WIEDERHOLUNG GRAMMATIK

Präsens (jetzt)	Präteritum (früher)	Präsens (jetzt)	Präteritum (früher)
er/sie muss	musste	er/sie sieht	
er/sie kann		er/sie kommt	
er/sie soll		er/sie gibt	
er/sie will	wollte	er/sie findet	
er/sie darf	durfte	er/sie sagt	
er/sie ist			
er/sie hat	hatte		

b **Wo war …? Arbeiten Sie auf Seite 174. Ihre Partnerin / Ihr Partner arbeitet auf Seite 177.**

AB

6 Welche Erfahrungen haben Sie mit Auslandsaufenthalten?

Diktat

a **Überlegen Sie: Wollen Sie einen wahren Bericht schreiben oder einen Bericht erfinden? Machen Sie dann Notizen zu den Fragen und schreiben Sie einen Erfahrungsbericht.**

KOMMUNIKATION

Wo waren Sie?	Nach der Schule / dem Studium … war ich in …
Wie lange waren Sie dort?	Ich war dort …
Was haben Sie dort gemacht?	Ich habe … / Ich musste …
Was haben Sie vermisst?	Am meisten habe ich … vermisst. / Ich fand es traurig, dass …
Was war Ihr schönstes Erlebnis?	Am besten hat mir … gefallen. / Es hat mir super gefallen, dass …
Gab es etwas, was nicht so schön war?	Ich musste immer … Das hat mir nicht so gut gefallen. / Leider hat … nicht (so gut) geklappt.
Würden Sie es empfehlen oder nicht?	Das war eine tolle Zeit mit vielen schönen Erlebnissen/ Erfahrungen. Ich konnte viele neue Erfahrungen sammeln. Das würde ich jedem empfehlen. / Es war keine schöne Zeit. Das würde ich niemandem empfehlen.

b **Hängen Sie Ihren Erfahrungsbericht im Kursraum auf. Die anderen lesen die Texte und raten: Welche sind wahr und welche sind frei erfunden?**

MINI-PROJEKT

7 Deutschland/Österreich/Schweiz-Quiz

interessant?

a Machen Sie das Quiz. Es können mehrere Antworten richtig sein.

1 Welches Land ist am kleinsten?
◯ Deutschland. ◯ Österreich. ◯ Die Schweiz.

2 Welches Land hat die längste Grenze?
◯ Deutschland. ◯ Österreich. ◯ Die Schweiz.

3 In welchen Ländern liegt der Bodensee?
◯ In Deutschland. ◯ In Österreich. ◯ In der Schweiz.

4 Welches Land hat die meisten Amtssprachen?
◯ Deutschland. ◯ Österreich. ◯ Die Schweiz.

5 Was ist das bekannteste Schweizer Nationalgericht?
◯ Gulasch. ◯ Käsefondue. ◯ Labskaus.

6 Welches ist die größte Stadt in Österreich?
◯ Graz. ◯ Linz. ◯ Wien.

7 Welches Land ist für seine Kaffeehäuser bekannt?
◯ Deutschland. ◯ Österreich. ◯ Die Schweiz.

8 Welches Land hat den höchsten Berg?
◯ Deutschland. ◯ Österreich. ◯ Die Schweiz.

Lösung: 1: CH, 2: D, 3: D, A, CH, 4: CH, 5: Käsefondue, 6: Wien, 7: A, 8: CH

b Arbeiten Sie in Gruppen und wählen Sie ein Land. Suchen Sie Informationen im Internet und machen Sie ein Quiz für die anderen Teilnehmer. Welche Gruppe kann die meisten Fragen richtig beantworten?

Audiotraining | Karaoke

GRAMMATIK

Präteritum

	regelmäßige Verben	unregelmäßige Verben			
	sagen	**kommen**	**geben**	**finden**	**sehen**
ich	sagte	kam	gab	fand	sah
du	sagtest	kamst	gabst	fandest	sahst
er/es/sie	sagte	kam	gab	fand	sah
wir	sagten	kamen	gaben	fanden	sahen
ihr	sagtet	kamt	gabt	fandet	saht
sie/Sie	sagten	kamen	gaben	fanden	sahen

KOMMUNIKATION

Begeisterung ausdrücken

Das war eine tolle Zeit mit vielen schönen Erlebnissen/Erfahrungen.
Ich konnte viele neue/schöne/... Erfahrungen machen.
Es hat mir super/ ... gefallen, dass ...
Das würde ich jedem empfehlen.

Enttäuschung ausdrücken

Ich fand es traurig, dass ...
Leider hat ... nicht (so gut) geklappt.
Ich musste immer ... Das hat mir nicht so gut gefallen.
Es war keine schöne Zeit. Das würde ich niemandem empfehlen.

AUDIMAX | Das Monatsmagazin für Studierende

Arzt – ein Traumberuf?

Sie wollen Arzt werden? Sie träumen von einem sorgenfreien Leben mit Familie? Und von einer ruhigen Praxis im Stadtzentrum? Alles möglich. Doch bis es so weit ist, stellen Sie sich auf unruhige Wanderjahre ein. Denn der Beruf verlangt viel Flexibilität. Von der ganzen Familie.

Familie Ebel musste oft umziehen

Kai Ebel ist 19, als er zum ersten Mal umzieht. Gleich nach dem Abitur zieht er zum Medizinstudium von **Bremen** nach **Berlin**. Dort lernt er seine spätere Frau Karin kennen, die in Berlin eine Ausbildung zur Physiotherapeutin macht. Gemeinsam verbringen sie ein Auslandssemester in **Australien**, dann das Praktische Jahr in **England**. Drei Umzüge hat Kai Ebel bereits hinter sich, als er eine Familie gründet.

„Als unser erstes Kind auf die Welt kam, sind wir nach **München** gezogen", erzählt Herr Ebel, „denn dort bekam ich eine Stelle als Assistenzarzt. Doch ich wollte nicht ewig Assistenzarzt bleiben, also musste ich mich bald wieder bewerben."

Herr Ebel bewirbt sich um eine Stelle in **Wittenberg** und hat Glück. Kurz darauf unterschreibt er den Vertrag.

„In Wittenberg kam unser zweites Kind auf die Welt", berichtet er. „Doch bis wir einen Kindergarten- und einen Krippenplatz hatten, zog es mich schon wieder weiter. Ein Krankenhaus in **Kassel** bot mir eine Facharztstelle an. Da konnte ich nicht nein sagen."

Immerhin drei Jahre verbringt die Familie in Kassel. Erst als Herr Ebel von einer freien Oberarztstelle in **Lübeck** erfährt, bewirbt er sich wieder – mit Erfolg. Seine Frau erinnert sich: „Auch wenn der Verdienst besser war – anfangs war ich nicht gerade begeistert. Ich musste ja auch jedes Mal wieder von vorne anfangen. Erst wenn die Kinder untergebracht waren, konnte ich selbst Arbeit suchen. Da war meine Laune manchmal nicht die beste. Aber zum Glück sind Physiotherapeuten überall sehr gefragt."

Herr Ebel kündigt also seine Stelle und die Familie zieht weiter. Zum vierten Mal. Für Herrn Ebel selbst ist es bereits der siebte Umzug. Doch diesmal soll es der letzte sein.

In **Lübeck** fühlt sich die Familie wohl. Sie wohnt in einem hübschen Einfamilienhaus in einem ruhigen Stadtviertel, etwas außerhalb vom Zentrum. Die Kinder haben wieder Freunde gefunden. Kai Ebel ist glücklich. Er hat einen Beruf, der ihm Spaß macht, eine Frau, die er liebt, und zwei Kinder, die bereits zur Schule gehen. Sein Einkommen stimmt. Er plant keinen Umzug mehr. Zumindest nicht in naher Zukunft. Obwohl – diese Chefarztstelle in der Schweiz reizt ihn schon ...

1 Lesen Sie den Artikel und korrigieren Sie.

a Für sein Medizinstudium zieht Kai Ebel nach Bremen.
b In München hatte Kai Ebel eine Stelle als Facharzt.
c In Wittenberg hat Familie Ebel sofort Betreuungsplätze für die beiden Kinder gefunden.
d Am Krankenhaus in Kassel hat Herr Ebel vier Jahre gearbeitet.
e Frau Ebel arbeitet ~~nicht mehr~~ als Physiotherapeutin. *immer noch*
f Kai Ebel möchte bald wieder umziehen.

2 Und Sie? Wie oft sind Sie schon umgezogen? Wäre Arzt ein Beruf für Sie?
Erzählen Sie.

Clip 8 **1** **Vor der Bank**

a **Was passiert hier? Was meinen Sie? Sehen Sie den ersten Teil des Films (bis 1:06) ohne Ton und erzählen Sie.**

Bargeld holen | Bank ist geschlossen | Bank ist offen | EC-Karte funktioniert nicht | der EC-Automat ist kaputt | …

b **Sehen Sie den ersten Teil des Films (bis 1:06) noch einmal mit Ton und korrigieren Sie.**

1 Lena hat das Konto ~~schon~~ lange. *noch nicht*
2 Der EC-Automat funktioniert nicht.
3 Die Bank ist offen.
4 Lena kann das Problem heute noch lösen.
5 Die beiden Frauen gehen in ein Café.

Clip 8 **2** **Überraschung**

a **Was ist richtig? Sehen Sie den zweiten Teil des Films (ab 1:07) und kreuzen Sie an.**

1 Christian hilft Max
○ mit einer Versicherung. ○ mit einem Kredit.
2 Melanie und Max haben zwei Zimmer
○ in verschiedenen Pensionen ○ in der gleichen Pension gebucht.

b **Sehen Sie den zweiten Teil des Films (ab 1:07) noch einmal und machen Sie Notizen zu den Fragen. Vergleichen Sie dann mit Ihrer Partnerin / Ihrem Partner.**

1 Welche Überraschung hat Melanie?

____

2 Welche Überraschung hat Max?

____

3 Wie lösen sie das Problem?

____

c **Über welche Überraschung würden Sie sich freuen? Erzählen Sie.**

Ich würde mich über ein Wochenende am Meer freuen. Am liebsten würde ich in einem Leuchtturm übernachten.

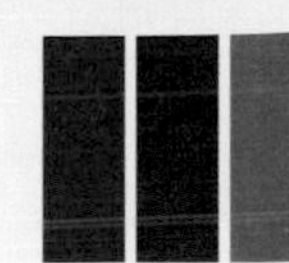

1 Lesen Sie den Text und beantworten Sie die Fragen.

Jobben und Reisen im Ausland

Sie möchten als Kellner nach Neuseeland? Als Küchenhilfe in die USA? Zur Weinlese nach Deutschland? Oder zur Olivenernte nach Italien? Und dabei möchten Sie auch noch Ihre Sprachkenntnisse verbessern und Land und Leute kennenlernen?

Durch *Work & Travel*-Programme (also eine Kombination von Reisen und Arbeiten) ist dies ohne große Probleme möglich und vor allem bei jungen Erwachsenen, die nicht viel Geld für eine Reise ausgeben können, sehr beliebt. *Work & Travel* ist eine günstige Variante, wenn man längere Zeit im Ausland verbringen möchte, weil man sich das nötige Geld durch Jobben verdienen kann.

Die Organisatoren der *Work & Travel*-Programme helfen bei der Jobvermittlung, bei der Suche nach Unterkünften und kümmern sich auch – wenn gewünscht – um einen passenden Sprachkurs.

Work & Travel kann man in fast jedem Land machen. Besonders beliebt sind Australien, Neuseeland, die USA, Kanada und in Europa unter anderem Großbritannien.

Teilnehmen kann jeder zwischen 18 und 30 Jahren. Man muss nur zwischen drei Monaten und einem Jahr Zeit haben.

a Was ist *Work & Travel?* ______

b Wo kann man das machen? ______

c Wer kann an dem Programm teilnehmen? ______

2 Ein Jahr im Ausland

a Was würden Sie gern machen? Wählen Sie und suchen Sie im Internet eine Organisation, die diese Reiseform anbietet. Recherchieren Sie und machen Sie Notizen zu den Fragen.

Work & Travel | Freiwilligenarbeit | Sprachreisen | Au-pair | Praktikum | …

1 Was machen Sie im Ausland?
2 Wobei hilft die Organisation Ihnen?
3 Wer kann an dem Programm teilnehmen?
4 Wie gefällt Ihnen das Programm? Würden Sie daran teilnehmen? Warum / Warum nicht?

b Machen Sie eine Broschüre im Kurs: Schreiben Sie kurze Texte zu den Fragen und suchen Sie passende Fotos im Internet. Präsentieren Sie Ihr Programm im Kurs.

Wir sind mit dabei

1. Fr___nde, die man findet.
L___nde___, die man sieht.
H___l___e, die man gibt.
Und Hilfe, die man kriegt.
Die So___e, die man fühlt.
Der T___g, den man beginnt.
Ein Sp___l, das man verliert.
Ein Spiel, das man gewinnt.

Refrain
So sieht das Leben aus, so sieht das Leben aus
und wir sind mit dabei, wir sind mit dabei.

2. Die B___um___, die man riecht.
Das B___ot, das man isst.
Ein ___paß, den man macht.
Ein S___merz, den man vergisst.
Das Bi___d, das man malt.
M___si___, die man liebt.
Ein Ta___, den man tanzt
Und Küsse, die man gibt.

Refrain
So sieht das Leben aus, so sieht das Leben aus
und wir sind mit dabei, wir sind mit dabei.

3. ___o___te, die man sagt.
L___be, die man schenkt.
Ein ___ie___, das man singt.
Gedanken, die man denkt.
Tr___m___, die man träumt.
___r___gen, die man stellt.
Dinge, die man weiß
Und Hä___e, die man hält.

Refrain
So sieht das Leben aus, so sieht das Leben aus
und wir sind mit dabei, wir sind mit dabei.

▶ 2 33 **1 Arbeiten Sie zu zweit und ergänzen Sie den Liedtext.**
Hören Sie dann das Lied und vergleichen Sie.

▶ 2 33 **2 Hören Sie das Lied noch einmal und singen Sie mit.**

KB | S. 12 
Lektion 1 | 4

Würfelspiel: Sind das eure Schlüssel?

- Arbeiten Sie zu viert.
- Würfeln Sie und ziehen Sie mit Ihrer Spielfigur.
- Würfeln Sie dann noch einmal. Welchen Possessivartikel müssen Sie nehmen?

 mein
 sein/ihr
 euer
 dein
 unser
 ihr (Plural)

- Machen Sie einen Satz. Die anderen überprüfen. Ist der Satz richtig? Dann bekommen Sie einen Punkt.
- Spielen Sie 10 Minuten. Wer hat die meisten Punkte?

START

Schuhe

Feuerzeug

Kalender

Handy

Jacke

Tasche

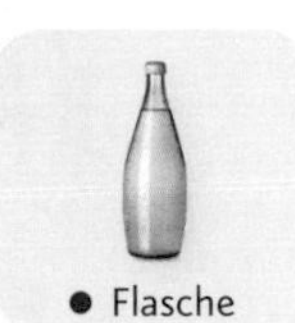
Flasche

Kreditkarte

Koffer

ZIEL

Zeitung

Zigaretten

Hausaufgaben

Briefmarken

Wörterbuch

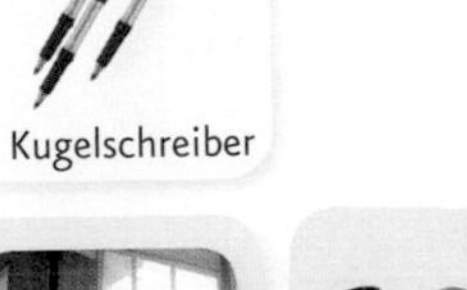
Kugelschreiber

Rechnung

Wohnung

Motorrad

Fahrrad

Auto

Haus

Tickets

Schlüssel

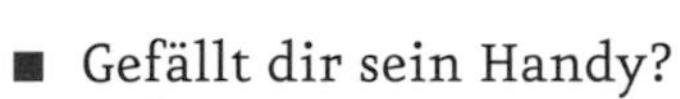
■ Gefällt dir sein Handy?
▲ Gut, der Satz ist richtig. Du bekommst einen Punkt.

Handy

■ Ich bezahle fast immer mit meiner Kreditkarte.
▲ Du bekommst auch einen Punkt.

Kreditkarte

Wahrheitsspiel

a **Bilden Sie zwei Mannschaften (Mannschaft A und Mannschaft B). Wählen Sie eine Ihrer Fragen aus 6b und stellen Sie sie einer Person aus der anderen Mannschaft. Beantwortet die Person die Frage mit *Ja*, bekommt Ihre Mannschaft einen Punkt.**

b **Die Person aus der anderen Mannschaft kann nun auch Punkte sammeln: Erzählen Sie etwas mehr: Wann war das? Wo war das? …**

Sie haben 90 Sekunden Zeit und erhalten einen Punkt für jeden weiteren Satz.

KB | S. 16 

Zimmer beschreiben: Unterschiede finden

Partner A

Beschreiben Sie Ihr Bild. Ihre Partnerin / Ihr Partner beschreibt ihr/sein Bild. Wie viele Unterschiede finden Sie in zehn Minuten? Notieren Sie.

- ■ In meinem Zimmer hängt ein Bild an der Wand.
- ▲ Bei mir auch. Wo hängt es?
- ■ Über dem Bett.
- ▲ Bei mir hängt das Bild über dem Schreibtisch.

- ▲ In meinem Zimmer hängen Vorhänge vor dem Fenster. Sie sind weiß.
- ■ Bei mir …

1. Bild über dem Bett / Bild über dem Schreibtisch
2. …

Variante:
Erzählen Sie von Ihrem Wohnzimmer. Ihre Partnerin / Ihr Partner erzählt von ihrem/seinem Wohnzimmer. Wie viele Gemeinsamkeiten finden Sie in zehn Minuten?

KB | S. 21 **Lektion 3 5**

Landschaften beschreiben: In der Mitte ist ein See.

a Arbeiten Sie zu dritt. Zeichnen Sie eine Landschaft. Beschreiben Sie Ihre Landschaft. Ihre Partner zeichnen mit.

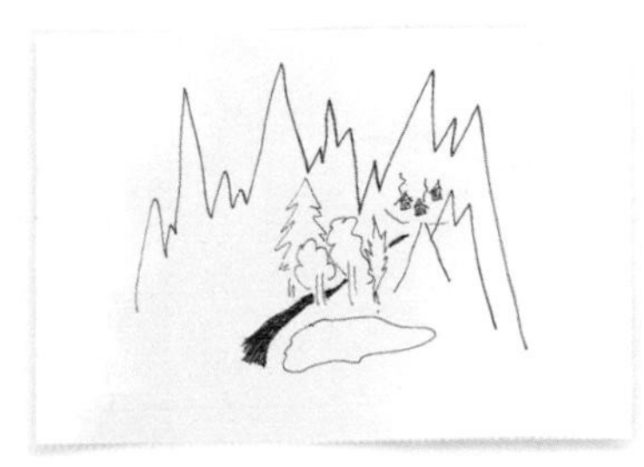

In der Mitte ist ein See. Hinter dem See ist ein Wald. Im Wald ist ein Weg. Hinter dem Wald sind Berge. In den Bergen sieht man ein Dorf. Das Dorf ist klein und hat nicht viele Häuser …

b Machen Sie eine Ausstellung. Welche drei Zeichnungen passen zusammen?

- ■ Ich glaube, die beiden Zeichnungen passen zusammen. Auf den Zeichnungen ist ein See in der Mitte.
- ▲ Ja, und diese Zeichnung passt auch dazu. Hier sieht man auch ein Dorf in den Bergen. …

Ein Zimmer einrichten: Wohin sollen die Sachen?

Partner A

Ihre Freunde helfen Ihnen beim Umzug. Wo sollen die Sachen hin?
Ihre Partnerin / Ihr Partner fragt. Beschreiben Sie die Zeichnung.

- ■ Wohin soll ich den Spiegel stellen?
- ▲ Stell ihn erstmal rechts an die Wand.
- ■ Und wo soll das Bett stehen?
- ▲ Das Bett soll …

Sie helfen Ihren Freunden beim Umzug. Wohin sollen die Sachen?
Fragen Sie Ihre Partnerin / Ihren Partner und zeichnen Sie.

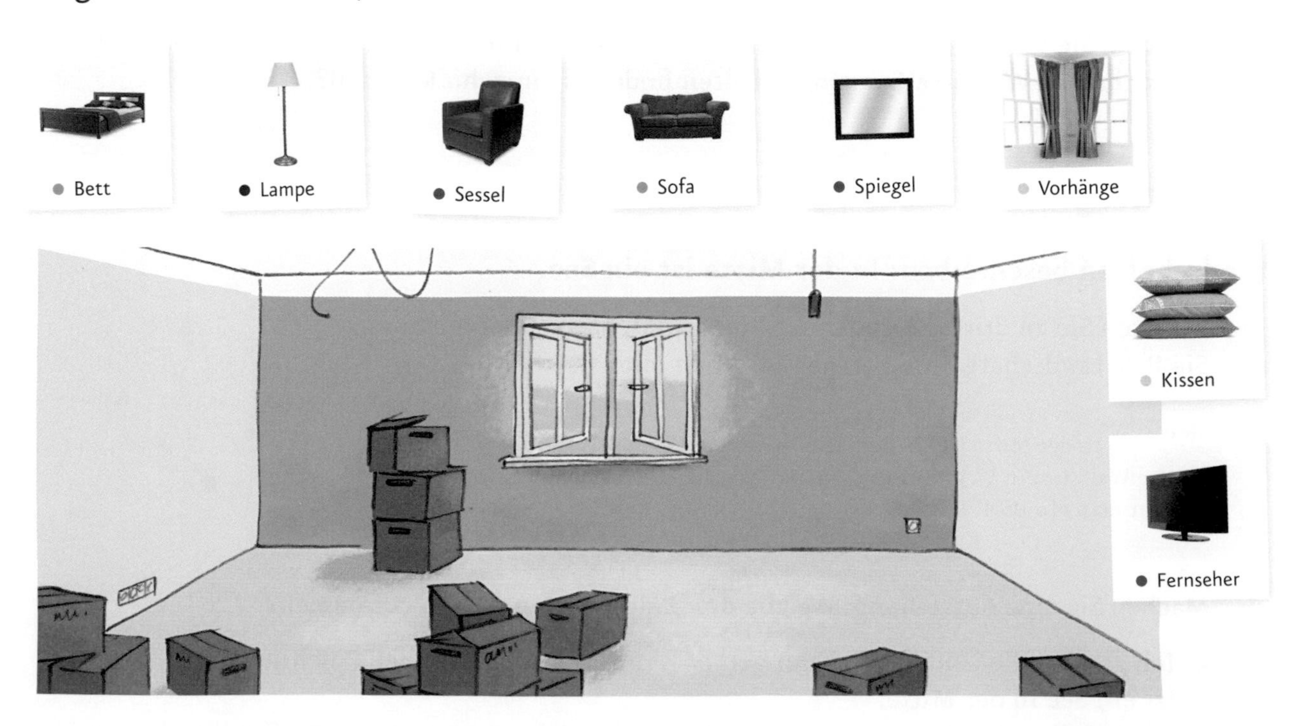

KB | S. 16 

Zimmer beschreiben: Unterschiede finden

Partner B

**Beschreiben Sie Ihr Bild. Ihre Partnerin / Ihr Partner beschreibt ihr/sein Bild.
Wie viele Unterschiede finden Sie in zehn Minuten? Notieren Sie.**

- ■ In meinem Zimmer hängt ein Bild an der Wand.
- ▲ Bei mir auch. Wo hängt es?
- ■ Über dem Bett.
- ▲ Bei mir hängt das Bild über dem Schreibtisch.

- ▲ In meinem Zimmer hängen Vorhänge vor dem Fenster. Sie sind weiß.
- ■ Bei mir ...

1. Bild über dem Bett / Bild über dem Schreibtisch
2. ...

Variante:
Erzählen Sie von Ihrem Wohnzimmer. Ihre Partnerin / Ihr Partner erzählt von ihrem/seinem Wohnzimmer. Wie viele Gemeinsamkeiten finden Sie in zehn Minuten?

Ein Zimmer einrichten: Wohin sollen die Sachen?

Partner B

**Sie helfen Ihren Freunden beim Umzug. Wo sollen die Sachen hin?
Fragen Sie Ihre Partnerin / Ihren Partner und zeichnen Sie.**

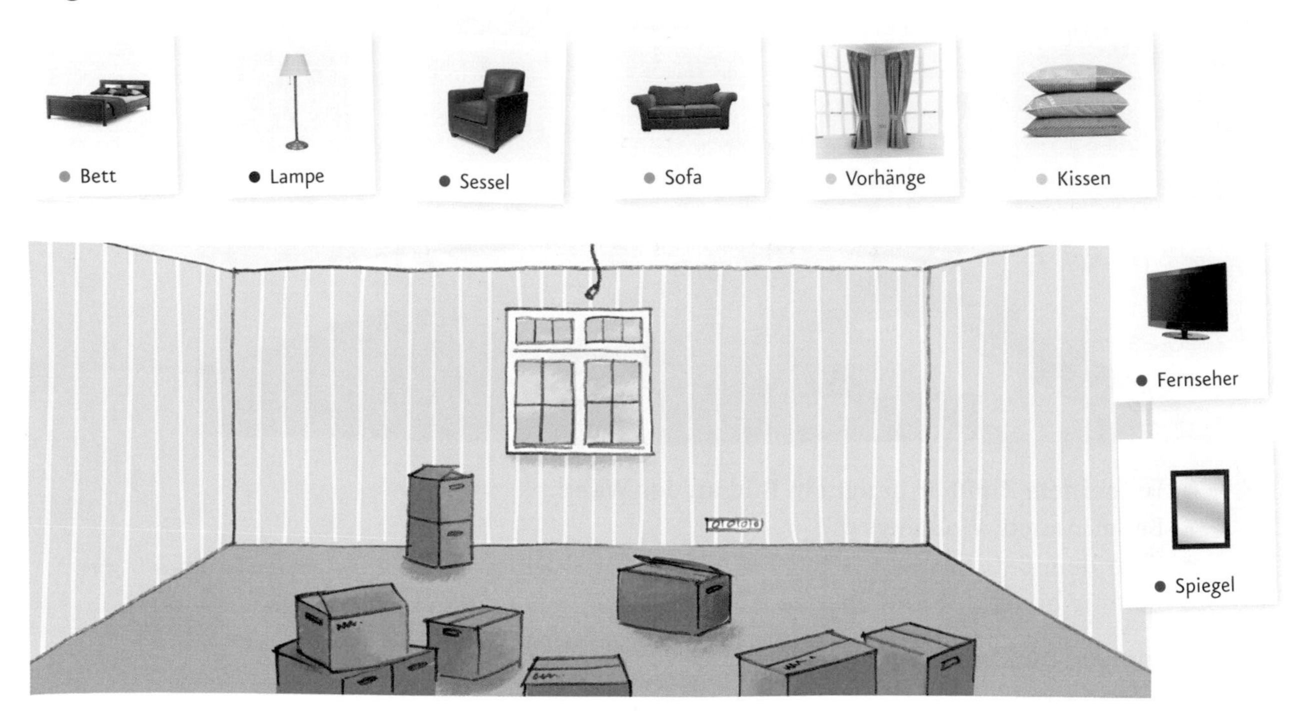

- ■ Wohin soll ich den Spiegel stellen?
- ▲ Stell ihn erstmal rechts an die Wand.
- ■ Und wo soll das Bett stehen?
- ▲ Das Bett soll …

**Ihre Freunde helfen Ihnen beim Umzug. Wohin sollen die Sachen?
Ihre Partnerin / Ihr Partner fragt. Beschreiben Sie.**

KB | S. 21 

Lektion 3 | 4

Wörter im Text verstehen

**Sehen Sie die markierten Wörter an: 15 sind falsch und 5 sind richtig.
Finden Sie die Fehler und ergänzen Sie die richtigen Wörter aus dem Kasten.**

anders | außerdem | beginnt | ~~Ruhe~~ | direkt | Dörfer | Erfahrung |
Fahrt | Gruppen | Landschaft | Luft | Mode | Service | Tiere | Wälder

A

Zu viel Stress? Alles zu schnell? Stopp!

Hier finden Sie ~~Stress~~ Ruhe, **Entspannung** und **Erholung**: Auf dem **Öko-Wellness-Bauernhof** von Johann und Theresia Lindthaler gehen die Uhren schneller.

Bei uns gibt es keine Termine. Hier muss nichts schnell gehen. Sie dürfen langsam sein, lange schlafen, lange frühstücken, unseren Bergkräutertee, unsere Original-Heudampfbäder und unsere gute Zeit genießen. Wandern Sie über hellgrüne Wiesen, durch dunkelgrüne Hügel und Sie werden erleben: Hier auf dem Lindthaler-Hof ist die Welt noch in Ordnung.

Und wenn Sie doch mal einen Einkaufsbummel machen wollen? Dann fahren Sie einfach ins Inntal hinunter: Mit dem Auto sind es nur 15 Minuten nach Innsbruck.

Herzlich willkommen! *Ihre Familie Lindthaler*

B

Du möchtest KITE-SURFEN lernen ... ?

Na, dann komm doch gleich zu uns nach Pepelow am Salzhaff!!
Du hast die Motivation, wir haben die Ruhe.

Unsere Segel- und Surf-Schule **‚WINDKIND'** ist der ideale Ort für dich:

- hier gibt es Unterricht für Anfänger und Fortgeschrittene
- unsere Kurse sind nicht teuer
- unsere Campingplätze sind klein
- wir sind den ganzen Tag draußen: am Strand und auf dem Meer
- alle unsere Lehrer machen ihren Job wirklich gern
- leider haben wir (fast) immer Wind
- und du bekommst bei uns die neueste Surf-Fahrt zu absoluten Top-Preisen

Also, worauf wartest du noch? Melde dich hier an!
‚WINDKIND', so soll es sein:
Spaß ganz groß & Preise klein!

Ⓒ

VELO-MANN

Ihr sympathischer Velovermieter am Bodensee.

Es gibt viele Velo-Touren am Schweizer Bodensee zwischen Kreuzlingen und Rohrschach.

Zum Beispiel können Sie am Ufer entlang fahren und ohne Anstrengung den Blick auf den See genießen. Oder Sie machen eine Wanderung über die Hügel und durch die Großstädte und sehen im Süden die Schweizer Alpen und im Norden den ganzen See.

Wir von VELO-MANN kennen alle Touren und beraten Sie sehr gern.

Bei uns bekommen Sie Karten, Tipps, Ausrüstung und natürlich ... Fahrräder! VELO-MANN, der Velovermieter mit dem EXTRA-PREIS!

Ⓓ

N&K-Reisen

NATUR & KULTUR

Landschafts- und Städterreisen

Sie sind Naturliebhaber?
Sie hören gern Frösche quaken und Vögel singen?
Sie sind offen für die Kultur und für Pflanzen und Sehenswürdigkeiten am und im Wasser?
Aber: Sie sind auch Großstadt-Fan und genießen gerne mal einen Stadtbummel?

WASSERWANDERN SPREE – BERLIN

Dann haben wir ein Superangebot für Sie:
Fahren Sie mit dem Kajak in fünf bis sieben Tagen vom Spreewald bis nach Berlin. Die Tour fährt auf der Spree in Lübben und endet auf dem Langen See in Berlin-Köpenick. Sie übernachten im Zelt auf Campingplätzen schön am Wasser. Sprechen Sie mit uns. Wir machen Ihnen ein Angebot genau nach Ihren Wünschen.

Variante:
Lösen Sie die Aufgabe ohne Auswahlkasten.

KB | S. 29 

Einkaufsgespräche üben: Geben Sie mir bitte ...

Partner A

a Ergänzen Sie.

Ich brauche ... | Kann ich Ihnen helfen? | Möchten Sie sonst noch etwas? | Wie viel darf es sein?

Verkäufer/-in	**Kunde/Kundin**
■ Guten Tag. Was darf es sein? / ______	
	▲ (Ja,) Ich hätte gern ... / Ich möchte gern ... / ______
■ Möchten Sie gern ...? Der/Die/Das ist / Die sind heute im Angebot.	
	▲ Ja, gern.
______	
	▲ Ein halbes Pfund / ... Gramm / ... Stück, bitte.
■ Gern. Darf es noch etwas sein? / Gern. ______	
	▲ Nein, danke. Das ist alles.

b Rollenspiel: Kaufen Sie ein.

Ich hätte gern einen mageren Schinken.

Möchten Sie gern einen spanischen Schinken? Der ...

1 Sie sind Verkäufer/-in:

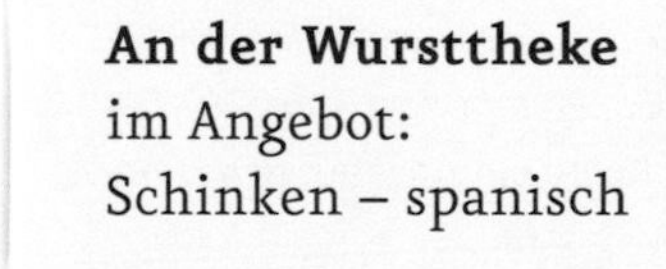

An der Wursttheke
im Angebot:
Schinken – spanisch

An der Wursttheke
im Angebot:
Salami – italienisch

2 Sie sind Kunde/Kundin:

Im Obst- und Gemüseladen
gelbe Paprika – 3 Stück

Im Teeladen
grünen Tee – 250 Gramm

Variante:
Schreiben Sie zu zweit ein Einkaufsgespräch und zerschneiden Sie es.
Tauschen Sie die Puzzleteile mit einem anderen Paar und sortieren Sie.

KB | S. 33 **Lektion 5 | 6**

Adjektiv-Quartett

a Machen Sie 20 Quartettkarten.

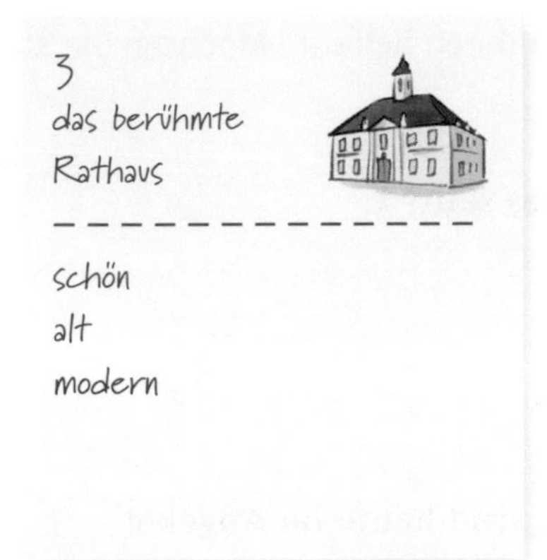

das Rathaus : schön – alt – berühmt – modern

der Supermarkt : teuer – billig – groß – neu

die Kirche : klein – schön – bekannt – groß

die Läden : klein – teuer – billig – schick

das Museum : neu – berühmt – alt – groß

b Verteilen Sie die Karten und spielen Sie zu dritt oder zu viert. Gewonnen hat die Spielerin / der Spieler mit den meisten Quartetten.

■ Ich brauche das alte Rathaus? Hast du das?

▲ Ja, hier bitte. / Nein, tut mir leid. Das alte Rathaus habe ich nicht.
Ich brauche …

KB | S. 29 

Einkaufsgespräche üben: Geben Sie mir bitte ...

Partner B

a Ergänzen Sie.

Ich brauche ... | Kann ich Ihnen helfen? | Möchten Sie sonst noch etwas? | Wie viel darf es sein?

Verkäufer/-in	Kunde/Kundin
■ Guten Tag. Was darf es sein? / ______	
	▲ (Ja,) Ich hätte gern ... / Ich möchte gern ... / ______
■ Möchten Sie gern ...? Der/Die/Das ist / Die sind heute im Angebot.	
	▲ Ja, gern.
______	
	▲ Ein halbes Pfund / ... Gramm / ... Stück, bitte.
■ Gern. Darf es noch etwas sein? / Gern. ______	
	▲ Nein, danke. Das ist alles.

b Rollenspiel: Kaufen Sie ein.

Ich hätte gern einen mageren Schinken.

Möchten Sie gern einen spanischen Schinken? Der ...

1 Sie sind Kunde/Kundin:

An der Wursttheke
mageren Schinken –
150 Gramm

An der Wursttheke
scharfe Salami –
ein halbes Pfund

2 Sie sind Verkäufer/-in:

Im Obst- und Gemüseladen
im Angebot:
Paprika – ungarisch

Im Teeladen
im Angebot:
Tee – chinesisch

Variante:
Schreiben Sie zu zweit ein Einkaufsgespräch und zerschneiden Sie es. Tauschen Sie die Puzzleteile mit einem anderen Paar und sortieren Sie.

Nach Zeiträumen fragen

Paar A

a **Lesen Sie das Porträt und die Antworten zum Text. Notieren Sie zu zweit die passenden Fragen.**

Selina Wyss arbeitet seit 25 Jahren als Schauspielerin. Seit 2010 arbeitet sie in München. Doch vor drei Monaten hat sie ein Angebot aus Zürich bekommen. Vom 1. August an steht sie im Schauspielhaus Zürich auf der Bühne. Sie freut sich sehr, denn sie ist Schweizerin und hat schon über 20 Jahre nicht mehr in der Schweiz gelebt. Außerdem hat sie als junge Schauspielerin schon einmal für drei Jahre in Zürich gearbeitet und hat daher noch viele Freunde und Bekannte dort. Sie hat auch schon eine schöne Wohnung gefunden und zieht am 15. Juli um. Vor dem Umzug macht sie noch drei Wochen Urlaub. In der ersten Woche besucht sie wie immer enge Freunde am Bodensee. Das macht sie schon seit vielen Jahren. Vom 24. Juni bis zum 8. Juli fliegt sie in den Süden. Dieses Jahr geht es nach Mallorca. Dort war sie schon einmal, aber das war schon vor über 10 Jahren. Wie sieht die Insel heute wohl aus? Sie ist sehr gespannt.

Seit 25 Jahren. *Seit wann arbeitet Selina Wyss als Schauspielerin?*
Vor drei Monaten. ______
Über 20 Jahre. ______
Am 15. Juli. ______
Drei Wochen. ______
Seit vielen Jahren. ______
Vor über 10 Jahren. ______

b **Stellen Sie Paar B Ihre Fragen aus a.**

■ Seit wann arbeitet Selina Wyss als Schauspielerin?
● Sie arbeitet seit 25 Jahren als Schauspielerin.

c **Beantworten Sie nun die Fragen von Paar B.**

KB | S. 37 

Lektion 6 6b

Sich verabreden: Ja gut, dann treffen wir uns ...

Rollenspiel: Wählen Sie eine Veranstaltung auf Seite 36 und rufen Sie Ihre Partnerin / Ihren Partner an.

Partner A | **Partner B**

■ Hallo ...
Hier ist ...
Wie geht's denn so?

▲ Hallo ...
Danke ...

■ Ich habe mal eine Frage:
Nächste Woche / Anfang August fahre ich ...
Möchtest du nicht mitkommen? /
Hast du Lust/Zeit? /
Lass uns doch mal wieder etwas zusammen machen/...? /
Was hältst du davon?

▲ Ja, Lust habe ich schon. /
Ja, das ist eine gute Idee. /
Aber ist das nicht ziemlich teuer?

■ Nein, ...

▲ Wann genau willst du denn hinfahren? /
Wann genau ist das denn?

■ Am/Um ... /
Geht es bei dir am/um ...? /
Wollen wir ...

▲ Ja okay, das passt.
Wollen wir schon einen Treffpunkt ausmachen?

■ Ach, das können wir doch auch später noch machen. /
Ach, lass uns doch nächste Woche noch einmal telefonieren.
Wie wäre es mit ...?

▲ Einverstanden! /
Ja gut, dann treffen wir uns ...

■ Prima! Ich freue mich!

▲ Ja, ich auch.
Dann bis ...

Nach Zeiträumen fragen

Paar B

**a Lesen Sie das Porträt und die Antworten zum Text.
Notieren Sie zu zweit die passenden Fragen.**

Selina Wyss arbeitet seit 25 Jahren als Schauspielerin. Seit 2010 arbeitet sie in München. Doch vor drei Monaten hat sie ein Angebot aus Zürich bekommen. Vom 1. August an steht sie im Schauspielhaus Zürich auf der Bühne. Sie freut sich sehr, denn sie ist Schweizerin und hat schon über 20 Jahre nicht mehr in
5 der Schweiz gelebt. Außerdem hat sie als junge Schauspielerin schon einmal für drei Jahre in Zürich gearbeitet und hat daher noch viele Freunde und Bekannte dort. Sie hat auch schon eine schöne Wohnung gefunden und zieht am 15. Juli um. Vor dem Umzug macht sie noch drei Wochen Urlaub. In der ersten Woche besucht sie wie immer enge Freunde am Bodensee. Das macht sie schon seit
10 vielen Jahren. Vom 24. Juni bis zum 8. Juli fliegt sie in den Süden. Dieses Jahr geht es nach Mallorca. Dort war sie schon einmal, aber das war schon vor über 10 Jahren. Wie sieht die Insel heute wohl aus? Sie ist sehr gespannt.

Seit 25 Jahren.	*Seit wann arbeitet Selina Wyss als Schauspielerin?*
Seit 2010.	______
Vom 1. August an.	______
Für drei Jahre.	______
Vor dem Umzug.	______
In der ersten Woche.	______
Vom 24. Juni bis zum 8. Juli.	______

b Beantworten Sie die Fragen von Paar A.

- ■ Seit wann arbeitet Selina Wyss als Schauspielerin?
- ● Sie arbeitet seit 25 Jahren als Schauspielerin.

c Stellen Sie nun Paar A Ihre Fragen aus a.

KB | S. 45 

Forum – Abnehmen: Geben Sie Ratschläge.

a Was passt? Lesen Sie die Forumstexte. Wer rät was? Kreuzen Sie an.

	Naschkatze	Elke 42
1 Man kann auch Schokolade essen.	○	○
2 Man sollte unbedingt auf das Essen achten.	○	○
3 Sport ist am wichtigsten.	○	○
4 Diätprodukte helfen nicht.	○	○

HILFE! ICH NEHME EINFACH NICHT AB.

Hallo,
ich bin neu hier und hoffe, ihr könnt mir etwas empfehlen. Ich habe mit einem Diätgetränk aus der Apotheke in einem Monat drei Kilo abgenommen und war echt glücklich! ☺ Aber nach nur fünf Wochen hatte ich wieder mein altes Gewicht. ☹ Ich würde gern 5 Kilo abnehmen. Habt ihr einen Tipp für mich?

Naschkatze

Du solltest viel Sport machen, jeden Tag mindestens eine halbe Stunde. Dann bist du bald fit und schlank. Das Essen ist nicht so wichtig, du kannst auch mal ein Stück Schokolade essen. Hauptsache, du machst jeden Tag Sport! ☺

Elke42

Man muss nicht jeden Tag Sport machen. Ich fahre oft mit dem Fahrrad zur Arbeit und gehe einmal pro Woche zum Yoga.
Am wichtigsten ist eine gesunde Ernährung! Du könntest morgens Obst essen, mittags Reis, Nudeln oder Kartoffeln mit Gemüse oder Fisch und abends einen Salat. Und kauf keine Diätgetränke mehr! Sie helfen nicht.

b Arbeiten Sie zu zweit und machen Sie Notizen zu den Fragen. Schreiben Sie dann auch eine Antwort auf den Beitrag von Lisa1992.

1 Wie oft und welchen Sport sollte Lisa machen?

____

2 Was sollte Lisa bei der Ernährung beachten?

____

3 Haben Sie noch einen weiteren Tipp für Lisa?

____

KB | S. 49 **Lektion 8 | 5**

Gründe angeben: Ich kann heute nicht zur Arbeit kommen, weil ich Fieber habe.

- Arbeiten Sie zu viert. Würfeln Sie und wählen Sie den Satzanfang in der passenden Spalte.
- Suchen Sie dann einen passenden Satzteil in der anderen Spalte und bilden Sie Sätze mit *weil* oder *deshalb*. Ist der Satz richtig? Dann bekommen Sie einen Punkt.
- Spielen Sie fünf Minuten. Gewonnen hat die Person mit den meisten Punkten.

Folgen	Gründe

heute nicht zur Arbeit kommen	Fieber haben
einen Termin beim Zahnarzt brauchen	Probleme mit dem Herz haben
ins Krankenhaus müssen	Arzt im Urlaub sein
in die Apotheke gehen	Kopfschmerztabletten brauchen
nach Hause fahren	Grippe haben
dem Arzt nicht glauben	die Untersuchung so kurz sein
Praxis keine Sprechstunde haben	Zahnschmerzen haben
Kamillentee trinken	Mutter ins Krankenhaus müssen
nicht tanzen gehen	erkältet sein

■ Ich kann heute nicht zur Arbeit kommen, weil ich Grippe habe.
▲ Das ist richtig, Anna. Dafür bekommst du einen Punkt.

▲ Ich habe Fieber. Deshalb kann ich nicht zur Arbeit kommen.
■ Ja, richtig. Du bekommst auch einen Punkt.

KB | S. 65 **Lektion 11 | 5**

Aus Alt mach Neu: Woraus sind diese Produkte?

Sehen Sie die Fotos an und raten Sie. Hilfe finden Sie im Kasten. Die Lösung finden Sie auf Seite 158.

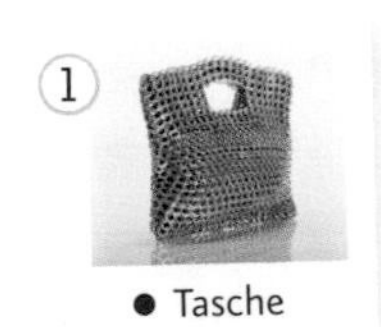

1 ● Tasche

2 ● Bilderrahmen

3 ● Schale

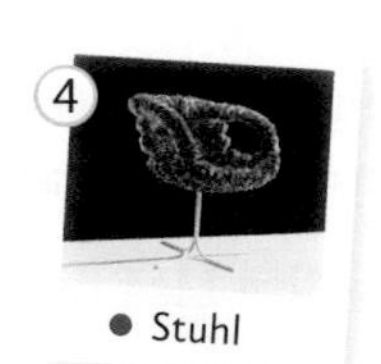

4 ● Stuhl

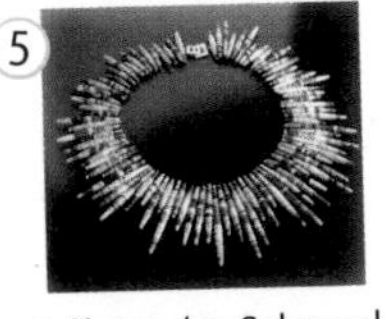

5 ● Kette / ● Schmuck

6 ● Schuhsohlen

Autoreifen  | Dosen | Dosenclips  | Papier | Plastikflaschen | Plastiktüten | Schallplatten  | Stoff  | Getränkeverpackungen | Holz | Metall

■ Ich glaube, dass die Bilderrahmen aus Holz sind.
▲ Meinst du? Das glaube ich nicht. Ich denke, die Bilderrahmen sind aus …

KB | S. 53 **Lektion 9 | 6**

Fragebogen: Wie soll Ihre Arbeit sein? Was ist Ihnen wichtig?
Kreuzen Sie an und fragen Sie dann Ihre Partnerin / Ihren Partner. Haben Sie etwas gemeinsam?

	Ist mir … / Sind mir …					
	… sehr wichtig		… wichtig		… nicht so wichtig	
	Ich	Meine Partnerin / Mein Partner	Ich	Meine Partnerin / Mein Partner	Ich	Meine Partnerin / Mein Partner
angestellt sein						
selbstständig sein						
feste Arbeitszeiten						
flexible Arbeitszeiten						
Teilzeit arbeiten						
ein guter Lohn						
viel Urlaub						
Erfolg						
im Team arbeiten						
allein arbeiten						
nette Kollegen						
drinnen arbeiten						
draußen arbeiten						
im Ausland arbeiten						
viel reisen						

- ■ Ich möchte gern angestellt sein.
- ▲ Ist dir das wichtig?
- ■ Ja, das ist mir sehr wichtig. Und dir? Ist dir das auch wichtig?
- ▲ Nein, mir ist das nicht so wichtig. …

KOMMUNIKATION

Ich möchte gern …	Ist dir das wichtig?
Ja, das ist mir sehr wichtig. / Ja, sehr. Und dir?	Mir ist das auch wichtig / nicht so wichtig.
Und …? Wie wichtig ist/sind dir das/die?	Das /Die ist/sind mir nicht /sehr/schon wichtig.

Im Restaurant: Schade, dass es kein ... gibt.

a Lesen Sie die Speisekarte. Was nehmen/mögen Sie? Sprechen Sie zu dritt über die Speisekarte.

SUPPEN UND VORSPEISEN

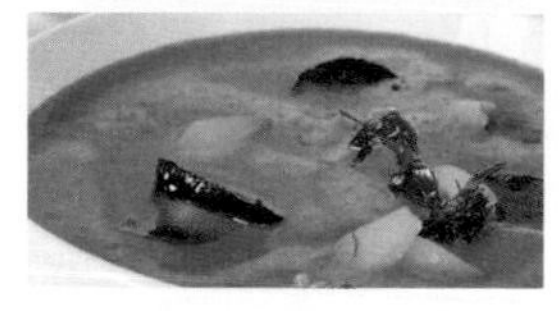

Paprikasuppe 4,00

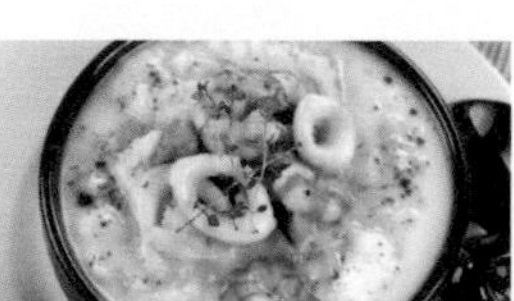

Französische Fischsuppe 8,00

Gebackener Schafskäse mit Tomaten und Zwiebeln 7,50

SALATE

Kleiner gemischter Salat 4,50

Großer Salat mit Schafskäse und Oliven 8,50

HAUPTGERICHTE

Steak in Pfeffersoße mit Pommes frites und Salat 16,90

Schnitzel „Wiener Art" mit Bratkartoffeln und Salat 12,90

Hähnchenbrust mit Reis und Gemüse 11,90

Labskaus „Seemannsart" mit Spiegelei, Gewürzgurke und Hering 12,90

DESSERT

Obstsalat mit Eis 4,50

Rote Grütze mit Vanillesoße 4,50

■ Was nimmst du?
▲ Ich weiß noch nicht. Schade, dass es kein/... gibt.
● Ja, aber schön, dass es ... gibt.
Ich denke, dass ich ... nehme. Und du?

KB | S. 65 

Aktivitäten-Bingo: Triffst du dich abends oft mit deinen Freunden?

a Wählen Sie ein Verb und spielen Sie es pantomimisch vor. Die anderen raten.

sich freuen | sich ärgern | sich mit jemandem streiten | sich erinnern | sich beschweren | sich mit jemandem gut verstehen | sich unterhalten | sich mit jemandem treffen | sich ausruhen

- ■ Was mache ich?
- ▲ Ärgerst du dich?
- ■ Nein.
- ● Beschwerst du dich?
- ■ Ja, das ist richtig.

b Suchen Sie Personen im Kurs und notieren Sie die Namen. Wer hat zuerst drei Personen?

Variante 1: senkrecht

Variante 2: waagerecht

Variante 3: diagonal

oft	manchmal	fast nie
sich freuen	sich ärgern	sich mit Freunden streiten
sich an die erste Deutschstunde erinnern	sich im Restaurant beschweren	sich gut mit Kollegen verstehen
sich mit den Nachbarn unterhalten	sich abends mit Freunden treffen	sich am Wochenende zu Hause ausruhen

- ■ Triffst du dich abends manchmal mit deinen Freunden?
- ▲ Nein, ich treffe mich sehr oft abends mit meinen Freunden.

Variante:

Wählen Sie fünf Verben aus a und schreiben Sie Sätze über sich. Mischen Sie die Texte und verteilen Sie sie neu.
Lesen Sie jetzt den Text im Kurs vor. Die anderen raten: Wer hat den Text geschrieben?

KB | S. 69 **Lektion 12 | 6**

Ess- und Kochgewohnheiten: Was kochen Sie, wenn …?

Machen Sie Notizen und befragen Sie Ihre beiden Partner. Haben Sie etwas gemeinsam? Erzählen Sie im Kurs.

- ■ Was kochst/machst du, wenn es gesund sein soll?
- ▲ Wenn es gesund sein soll, dann mache ich einen Obstsalat.

	Ich	Meine Partnerin / Mein Partner A	Meine Partnerin / Mein Partner B
Es soll gesund sein.			
Es soll schnell gehen.			
Sie müssen sparen. Es soll preiswert sein.			
Sie möchten vegetarisch essen.			
Sie möchten scharf essen.			
Sie möchten ein Menü kochen.			
Sie machen eine Diät.			
Sie kochen für Kinder.			
Sie machen etwas für ein Party-Buffet.			

Auflösung zu Seite 154

(1) aus Dosenclips, (2), (5) aus Papier, (3) aus Schallplatten, (4) aus Plastiktüten, (6) aus Autoreifen

KB | S. 76 

Ihre Sprachlerngeschichte

Machen Sie Notizen zu den Fragen und fragen Sie dann Ihre Partnerin / Ihren Partner.

	Ich	Meine Partnerin / Mein Partner
Wann sind Sie in die Schule gekommen?	6 Jahre	7 Jahre
Was war Ihre erste Fremdsprache und wann haben Sie sie gelernt?	Englisch, Schule, 3. Klasse	
Wann haben Sie Ihr erstes Wort Deutsch gelernt?		
Wann haben Sie Ihren ersten Deutschkurs besucht?		
Wo haben Sie Ihren ersten Deutschkurs besucht (Goethe-Institut, Sprachenschule, Volkshochschule ...)?		
Sind Sie schon einmal in Deutschland / Österreich / der Schweiz gewesen?		
Wenn ja: Wann und wo?		
Wenn nein: Planen Sie es?		
Haben Sie weitere Fremdsprachen gelernt?		
Wenn ja: Welche, wann und wo?		
Wenn nein: Möchten Sie noch Fremdsprachen lernen?		

- ■ Wann bist du in die Schule gekommen?
- ▲ Als ich sechs Jahre alt war. Und du?
- ■ Ich bin in die Schule gekommen, als ich sieben war.
- ▲ Was war deine erste Fremdsprache?
- ■ Ich habe zuerst Englisch gelernt. Das war in der Schule, als ich in die dritte Klasse gekommen bin.

Variante:

Schreiben Sie einen Text zu Ihrer Sprachlerngeschichte. Mischen Sie die Texte und verteilen Sie sie. Lesen Sie den Text vor. Die anderen raten: Wer hat den Text geschrieben?

Als ich sechs Jahre alt war, bin ich in die Schule gekommen. Ich bin gern in die Schule gegangen. Meine erste Fremdsprache war Englisch.

Auf der Post: Was wird hier gemacht?

Partner A

a Fragen Sie Ihre Partnerin / Ihren Partner und notieren Sie die Antworten.

Schritt 1 Das Paket wird gepackt.

Schritt 2 ______________________________

Schritt 3 ______________________________

Schritt 4 ______________________________

■ Was wird in Schritt 1 gemacht?
▲ Das Paket wird gepackt.

b Nun stellt Ihre Partnerin / Ihr Partner Ihnen Fragen. Antworten Sie.

Schritt 5 Porto – bezahlen

Schritt 6 Paket – transportieren

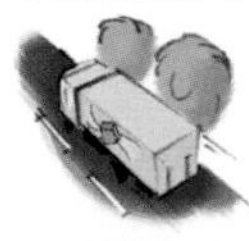

Schritt 7 Paket – zum Empfänger – bringen

Schritt 8 Paket – öffnen

▲ Was wird in Schritt 5 gemacht?
■ Das Porto wird bezahlt.

KB | S. 85

Würfelspiel: Wir schenken unserem Freund eine DVD.

Würfeln Sie und wählen Sie das passende Verb. Machen Sie einen Satz wie im Beispiel. Ihre linke Nachbarin / Ihr linker Nachbar sagt den Satz mit Pronomen.

geben | kaufen | schicken | schenken | wegnehmen | erzählen | leihen | bringen | empfehlen | zeigen | schreiben

Wem?	Was?
ihre Freunde	Paket
unser Nachbar	Geschichte
du	Kinderwagen
meine Kinder	Schokolade
unser Freund	DVD
dein Mann	Fahrplan
ich	Handy
…	Anzug
	Parfüm
	Brief
	Rose
	Topf
	…

■ Wir schenken unserem Freund eine DVD.
▲ Super Idee! Genau, wir schenken ihm eine DVD.

KB | S. 81 Lektion 14 | 5

Auf der Post: Was wird hier gemacht?

Partner B

a Ihre Partnerin / Ihr Partner stellt Ihnen Fragen. Antworten Sie.

Schritt 1 Paket – packen

Schritt 2 Absender und Empfänger – ergänzen

Schritt 3 Paket – zur Post – bringen

Schritt 4 Paket – am Schalter – wiegen

- ■ Was wird in Schritt 1 gemacht?
- ▲ Das Paket wird gepackt.

b Fragen Sie nun Ihre Partnerin / Ihren Partner und notieren Sie die Antworten.

Schritt 5 Das Porto wird bezahlt.

Schritt 6 ______________________

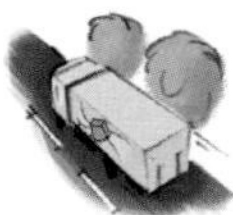

Schritt 7 ______________________

Schritt 8 ______________________

- ▲ Was wird in Schritt 5 gemacht?
- ■ Das Porto wird bezahlt.

KB | S. 92 

Im Hotel: Höfliche Fragen

Partner A

Fragen Sie Ihre Partnerin / Ihren Partner höflich nach den fehlenden Informationen und beantworten Sie die Fragen Ihrer Partnerin / Ihres Partners.

Wie komme ich zum Schwimmbad?	Aufzug in den Keller, dann links
Wann gibt es Frühstück?	Von Montag bis Freitag ...
Wann hat das Restaurant geöffnet?	mittags: 11:30 – 14:30 Uhr, abends: 18:00 – 23:30 Uhr
Ist ein Zimmer frei?	
Haben Sie Zeitungen?	an der Rezeption
Wo kann ich neue Handtücher bekommen?	
Wie komme ich zum Flughafen?	mit der S-Bahn
Haben Sie auch Zimmer mit Vollpension?	
Bestellen Sie mir ein Taxi?	ja, Bescheid geben, wenn es da ist
Darf ich hier rauchen?	
Können Sie mich morgen früh um 7:00 Uhr wecken?	um 7:00 Uhr anrufen
Wann öffnet die Bar?	
Wie lange gibt es am Sonntag Frühstück?	bis 12:00 Uhr

▲ Können Sie mir erklären, wie ich zum Schwimmbad komme?
● Ja, am besten nehmen Sie den Aufzug in den Keller und gehen dann nach links.
▲ Vielen Dank!

● Ich weiß nicht, wann es ...

KOMMUNIKATION
Können Sie mir erklären, ...?
Können Sie mir sagen, ...?
Wissen Sie, ...?
Ich weiß nicht, ...
Ich würde gern wissen, ...
Darf ich fragen, ...?

▶ 2 12 Wege beschreiben: Nach der Keller-Bar noch ein Stück geradeaus.

a Hören Sie noch einmal und zeichnen Sie den Weg ein.

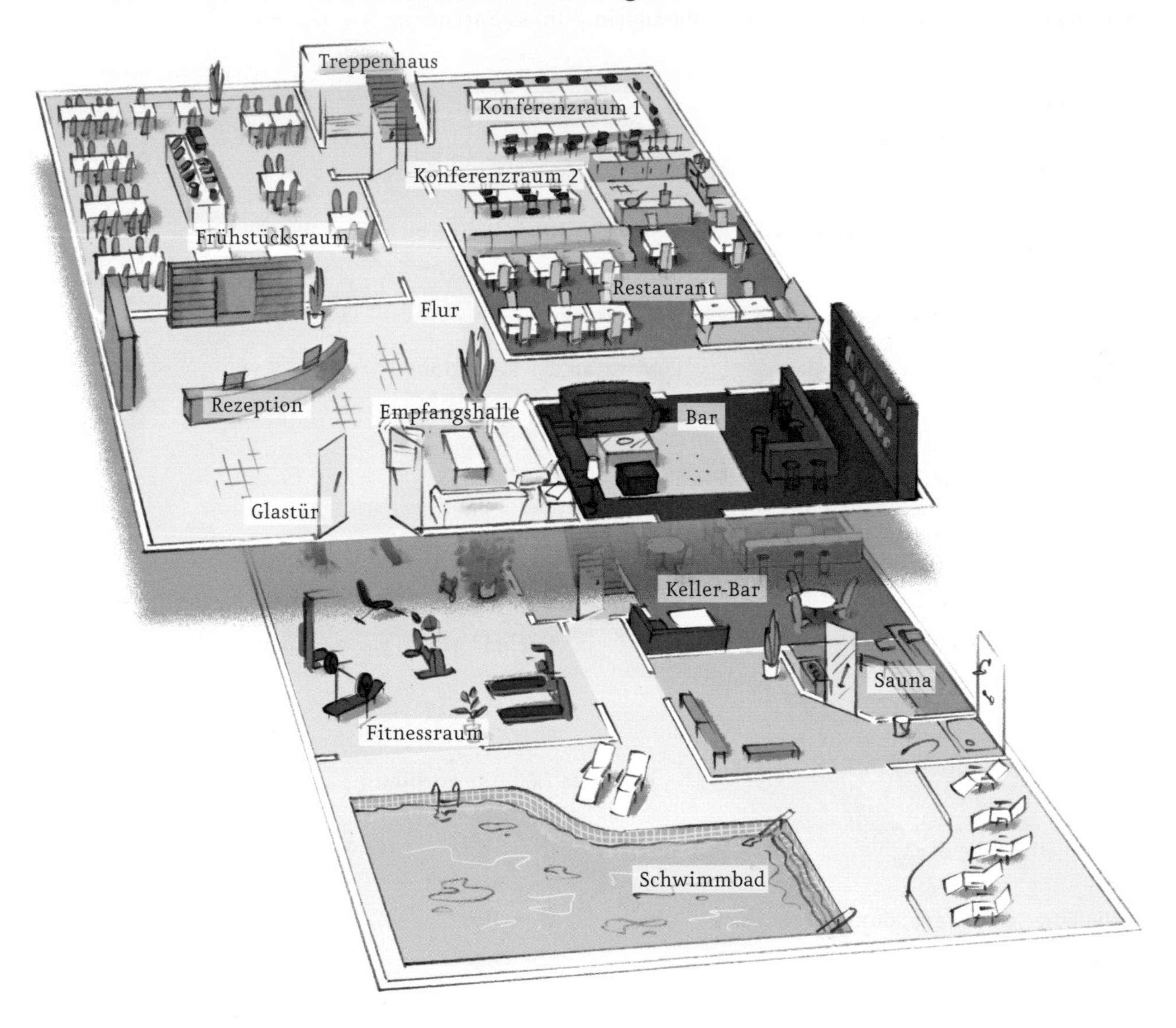

b Rollenspiel: Sie stehen an der Rezeption. Wählen Sie einen Raum auf dem Plan in a und fragen Sie nach dem Weg. Ihre Partnerin / Ihr Partner (Mitarbeiter/in an der Rezeption) beschreibt den Weg falsch. In welchem Raum sind Sie?
Tauschen Sie dann die Rollen.

KOMMUNIKATION

Am besten gehen Sie geradeaus / nach rechts / nach links / am Frühstücksraum vorbei / durch die Empfangshalle / ...

Und dann gehen Sie durch die Glastür / ins Treppenhaus / in den Keller.

Die Sauna liegt/ist gegenüber vom Schwimmbad / neben ... / zwischen ... und ...

KB | S. 97 **Lektion 17** 4c

Wörter im Text verstehen

Sehen Sie sich zu zweit die markierten Begriffe an: 12 sind falsch und 5 sind richtig. Finden Sie die Fehler und ergänzen Sie die richtigen Begriffe aus dem Kasten.

Straßen | ganz schön | Fahrzeug | duschen | Auf dem Feld | in Kontakt | Viel Spaß | fröhliche | Abfahrt | Reifen | vorsichtig | jemand

Ⓐ

Hallo, wir sind ein Pärchen aus München und verreisen gern mit unseren Motorrädern. Mit keinem anderen Wagen kommt man so schnell mit den Menschen auf die Fähren – außer mit dem Fahrrad vielleicht. Diesmal wollen wir bis ans Schwarze Meer, nach Rumänien. Wenn alles gut läuft, sind wir in vier Wochen am Meer. Wollt ihr wissen, was wir auf unserer Reise so erleben? Dann lest unser Reisetagebuch!
5 Gute Fahrt dabei wünschen Felix & Simone

(A) 7.–14. Juli: Gleich nach unserer Ankunft haben wir eine Reifenpanne. Zum Glück finden wir schnell eine Tankstelle mit Werkstatt. Felix wechselt seinen Motor und ich tanke. Aber das Ganze kostet uns
10 Zeit. Insgesamt brauchen wir eine Woche durch Deutschland, Österreich und Ungarn. In Deutschland und Österreich benutzen wir noch viel die Autobahn. In Ungarn fahren wir nur auf kleinen Autobahnen. Wir überqueren fünfmal die Donau mit
15 einer Fähre. Dabei werden die Schiffe immer kleiner. Am Ende passt nur noch ein Motorrad hinein. Überhaupt nicht gefährlich!

Muriel: Das überrascht mich. Mitten in Europa so kleine Fähren!

(B)
20 16. Juli: Hoppla! Da liegt Simone plötzlich auf der Seite. Tja, auf den Straßen in Rumänien muss man schnell fahren. Besonders, wenn es geregnet hat. Nur die großen Straßen haben hier Asphalt. Aber genau das wollen wir ja! Zum Glück ist Simone
25 nichts passiert. Aber oft kommen wir schmutzig und müde im Hotel an. Wir tanzen und ruhen uns aus. Wenn wir dann abends sauber zum Essen gehen, erkennt uns keiner wieder.

(C) Săpânța – 22. Juli: Seit gestern sind wir in Săpânța,
30 einem kleinen Dorf in der Region Maramures. Das ist ganz in der Nähe der ukrainischen Grenze. Wir wohnen in einem alten Bauernhaus. Auf der Straße wird noch gearbeitet wie früher. Ohne Maschinen, nur mit Pferden. Das sieht romantisch aus, ist aber
35 sicher harte Arbeit. Dafür schmeckt das Gemüse toll. Zum Abendessen haben wir die besten Tomaten der Welt gegessen!

(D) Und jetzt kommt das Beste: Săpânța hat einen weltberühmten Friedhof mit vielen bunten Holz-
40 kreuzen. Und weil die Holzkreuze mit ihren bunten Farben gar nicht traurig aussehen, wird der Friedhof auch „der traurige Friedhof" genannt.

Jörg: Nicht zu glauben! Toll! So sollten unsere Friedhöfe auch aussehen.

(E)
45 Viseu de Sus – 25. Juli: Heute waren wir auf einem Markt in Viseu de Sus. Dort werden viele Lebensmittel und Tiere verkauft. Niemand hat auch Kassetten mit rumänischer Musik angeboten. Felix hat sich eine gekauft. Und stellt euch vor, was er
50 als Wechselgeld bekommen hat: einen Geldschein, eine Münze und ... zwei Kaugummis!

Variante:
Lösen Sie die Aufgabe ohne Auswahlkasten.

Im Hotel: Höfliche Fragen

Partner B

Beantworten Sie die Fragen Ihrer Partnerin / Ihres Partners und fragen Sie dann Ihre Partnerin / Ihren Partner höflich nach den fehlenden Informationen.

Wie komme ich zum Schwimmbad?	Aufzug in den Keller, dann links
Wann gibt es Frühstück?	Mo–Fr: 6:30–9:30 Uhr; Sa + So: 8:00–11:00 Uhr
Wann hat das Restaurant geöffnet?	
Ist ein Zimmer frei?	Einzel- oder Doppelzimmer?
Haben Sie Zeitungen?	
Wo kann ich neue Handtücher bekommen?	Zimmerservice Bescheid sagen
Wie komme ich zum Flughafen?	
Haben Sie auch Zimmer mit Vollpension?	nur mit Frühstück, aber gibt Restaurant im Hotel
Bestellen Sie mir ein Taxi?	
Darf ich hier rauchen?	hier leider nicht, aber in der Bar
Können Sie mich morgen früh um 7:00 Uhr wecken?	
Wann öffnet die Bar?	um 17:30 Uhr
Wie lange gibt es am Sonntag Frühstück?	

▲ Können Sie mir erklären, wie ich zum Schwimmbad komme?
● Ja, am besten nehmen Sie den Aufzug in den Keller und gehen dann nach links.
▲ Vielen Dank!

● Ich weiß nicht, wann es …

KOMMUNIKATION

Können Sie mir erklären, …?
Können Sie mir sagen, …?
Wissen Sie, …?
Ich weiß nicht, …
Ich würde gern wissen, …
Darf ich fragen, …?

KB | S. 100 Lektion 18 4b

Interview: Worauf freust du dich?

a Beantworten Sie die Fragen. Machen Sie Notizen und machen Sie zwei falsche Angaben. Fragen Sie dann Ihre Partnerin / Ihren Partner und notieren Sie die Antworten.

	Ich	Meine Partnerin / Mein Partner
Worauf freust du dich?	Meine Hochzeit	Winter
Wofür interessierst du dich?		
Worüber ärgerst du dich oft?		
Wovon träumst du?		
Worüber sprichst du gern?		
Mit wem hast du heute schon gesprochen?		
Womit bist du unzufrieden?		
Worauf hast du keine Lust?		
Woran denkst du gern?		
Mit wem triffst du dich heute Abend?		

- ■ Worauf freust du dich?
- ● Ich freue mich auf den Winter. Und du? Worauf freust du dich?
- ■ Auf meine Hochzeit! Darauf freue ich mich schon sehr.

b Was meinen Sie? Wann hat Ihre Partnerin / Ihr Partner gelogen? Überprüfen Sie Ihre Vermutungen.

- ■ Ich glaube nicht, dass du dich auf den Winter freust.
- ● Ja, das ist falsch. Darauf freue ich mich überhaupt nicht.
- ■ Ich glaube auch nicht, dass …

Fragen stellen: Wohin geht die Frau mit dem gelben Hut?

a Sehen Sie das Bild an und schreiben Sie zu zweit sechs Fragen mit *woher, wo, wohin*.

1 Wo grillt die Familie?
2 Wohin geht die Frau mit dem gelben Hut?
...

b Tauschen Sie die Fragen mit einem anderen Paar und notieren Sie die passenden Antworten.

1 Wo grillt die Familie? Sie grillt im Park.
2 Wohin geht die Frau mit dem gelben Hut? Sie geht ins Café.
...

Variante: Zeichnen Sie zu zweit kleine Bilder und tauschen Sie mit einem anderen Paar. Beschreiben Sie die Bilder.

Die beiden Personen gehen ins Theater.

KB | S. 113 **Lektion 20** **4b**

Aktivitäten-Bingo: Wer durfte/konnte/... was als Kind?

Suchen Sie Personen im Kurs und notieren Sie die Namen. Wer hat zuerst sechs Personen?

Variante 1: senkrecht

Variante 2: waagerecht

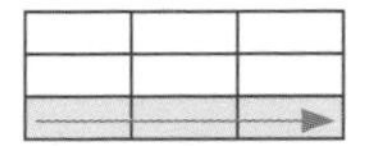

Variante 3: diagonal

■ Durftest du als Kind Comics lesen?
● Nein, leider nicht.

■ Musstest du früher / als Kind auch jeden Abend dein Zimmer aufräumen?
▲ Ja, das musste ich.

durfte	wollte	musste	konnte	sollte	mochte
allein verreisen	allein in die Schule gehen	jeden Abend das Zimmer aufräumen	vor der Schule schon lesen	nicht so viele Computerspiele spielen	Comics
abends im Bett noch lesen	jeden Abend eine Geschichte hören	im Haushalt helfen	schon mit 4 Jahren Rad fahren	ein Musik-instrument lernen	Hörbücher
Comics lesen	Fußballprofi werden	abends früh ins Bett gehen	schwimmen	nach jedem Essen Zähne putzen	Salat
bei Freunden übernachten	jeden Tag Nudeln essen	auf deine Geschwister aufpassen	Ski fahren	nicht so spät ins Bett gehen	Märchen
auf Partys gehen	immer draußen spielen	oft Verwandte besuchen	ein Musik-instrument spielen	sich nicht streiten	Kinofilme
in die Diskothek gehen	einen eigenen Laptop haben	sich morgens immer beeilen	Schach spielen	mehr Sport machen	Gemüse

KB | S. 116 **Lektion 21 | 5**

Alibi-Spiel

Am Samstag um 16 Uhr hat jemand bei Familie Müller eingebrochen und Geld und Schmuck gestohlen.

a **Die Polizei befragt einen Verdächtigen. Lesen Sie die Befragung und ergänzen Sie.**

Erzählen Sie doch mal! | Gibt es dafür Zeugen? | Wann und wie sind Sie | Was haben Sie gemacht? | Wo waren Sie | Worüber haben Sie gesprochen?

■ ______________________ am Samstagnachmittag um 16 Uhr?

● Ich war zu Hause.

■ ______________________

● Ja, ich habe ein Alibi. Ich war zusammen mit meinem Kollegen.

■ ______________________

● Wir haben Kaffee getrunken und Kuchen gegessen. Danach sind wir ins Kino gegangen.

■ ______________________

● Über nichts Besonderes. Über das Wetter und die Arbeit.

■ ______________________ ins Kino gegangen?

● Um 17 Uhr. Wir sind zu Fuß gegangen.

■ Welchen Film haben Sie im Kino gesehen? ______________________

● Wir haben einen Liebesfilm gesehen. An den Titel kann ich mich nicht mehr erinnern.

■ Können Sie den Film näher beschreiben? ...

b **Wählen Sie nun zwei Personen im Kurs: Person A ist der Täter und braucht ein Alibi. Person B gibt Person A das Alibi. Die beiden sprechen das Alibi zu zweit ab. Die anderen Teilnehmer sind die Polizisten und machen Notizen: Was wollen Sie fragen?**

1. Wo waren Sie? ______________________
2. Gibt es dafür Zeugen? ______________________
3. Ab wann waren Sie dort? ______________________
4. Wie lange waren Sie dort? ______________________
5. Was haben Sie gemacht? ______________________
6. Worüber haben Sie gesprochen? ______________________
7. Haben Sie etwas gegessen/getrunken? Wenn ja, was? ______________________
8. Wie sind Sie dorthin gekommen? ______________________

...

c **Befragen Sie nun Person A und B getrennt voneinander. Für jede Befragung haben Sie fünf bis zehn Minuten Zeit. Haben die beiden ein gutes Alibi oder widersprechen sie sich?**

KB | S. 117 **Lektion 21 | 7**

Kartenspiel: Meinen Anzug muss ich ändern lassen.

a **Schreiben und/oder zeichnen Sie Kärtchen zu den Tätigkeiten.**

Haare schneiden
Auto waschen
Fahrrad reparieren
Wohnung putzen
Hemden bügeln
Reifen wechseln
Computerprogramm installieren
Wohnung renovieren
Getränke einkaufen
Anzug ändern
Glühbirne wechseln
Hemden reinigen
...

b **Spielen Sie zu viert. Mischen Sie die Kärtchen und ziehen Sie abwechselnd. Was machen Sie selbst? Was lassen Sie machen? Erzählen Sie.**

■ Änderst du deinen Anzug selbst oder lässt du ihn ändern?
● Meinen Anzug muss ich ändern lassen. Ich kann gar nicht nähen.
■ Wechselst du Glühbirnen selbst oder lässt du sie wechseln?
● Glühbirnen lasse ich von meinem Freund wechseln. Bei Strom bin ich ängstlich.
...

KB | S. 124 **Lektion 22** **3b**

Seitdem wir auf dem Land wohnen, ...

Partner A

Lesen Sie Ihrer Partnerin / Ihrem Partner die Satzanfänge vor. Sie/Er ergänzt. Sind die Sätze sinnvoll?

1 Seitdem ich das Rauchen aufgehört habe, ...
2 Bis ich das Rauchen aufgehört habe, ...
3 Seitdem wir auf dem Land wohnen, ...
4 Bis wir aufs Land gezogen sind, ...
5 Seitdem ich mit dem Fahrrad in die Arbeit fahre, ...
6 Bis ich auf das Fahrrad umgestiegen bin, ...

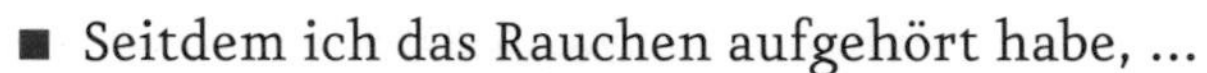

■ Seitdem ich das Rauchen aufgehört habe, ...
● ... habe ich fünf Kilo zugenommen.

Ihre Partnerin / Ihr Partner liest Ihnen Satzanfänge vor. Was passt? Ergänzen Sie.

Die Füße tun mir abends vom langen Stehen weh.
Ich habe kaum mehr Zeit für mich und meine Hobbys.
Ich hatte viele Allergien.
Ich war sechs Monate arbeitslos und habe als Verkäuferin gejobbt.
Ich hatte viel Freizeit und viele Hobbys.
Ich fühle mich viel gesünder.

Variante:
Schreiben Sie eigene Satzanfänge. Ihre Partnerin / Ihr Partner ergänzt.
Sind die Sätze sinnvoll?

KB | S. 129 **Lektion 23** **4b**

Relativsätze üben: Das ist der Kollege, der … **Partner A**

Fragen Sie Ihre Partnerin / Ihren Partner und ergänzen Sie die fehlenden Informationen.

Frau Aigner	**Frau Schwab + Herr Beer**	**Herr Reinig**	**Herr Thomsen**
Die Kollegin aus der Buchhaltung. Sie hat vorgestern gekündigt.	Praktikanten, kommen nächste Woche in den Verkauf		Der Kollege aus dem Einkauf. Er hatte letzte Woche einen Unfall.
Herr Bielenberg	**Herr Konradi**	**Frau Schober**	**Frau Jandl + Herr Huber**
	Der ältere Kollege aus dem Verkauf. Ich treffe ihn oft beim Rauchen vor der Tür.		Die beiden netten Kollegen. Du hast sie auf der Weihnachtsfeier kennengelernt.
Herr Brunner	**Frau Weiß**	**Frau Pichler**	**Herr Novak**
		Die Kollegin mit den schwarzen Haaren. Ich habe sie gestern im Kino gesehen.	Der unfreundliche Kollege. Er hat letzte Woche seine Kündigung bekommen.
…			

■ Wer ist eigentlich Frau Aigner?
▲ Das ist die Kollegin aus der Buchhaltung, die vorgestern gekündigt hat.

Variante:
Ergänzen Sie auch eigene Beschreibungen zu Personen aus Ihrem Deutschkurs.

KB | S. 133 **Lektion 24** 5b

Nach Auslandsaufenthalten fragen: Wo war ...?

Partner A

Fragen Sie Ihre Partnerin / Ihren Partner nach den fehlenden Informationen.

	Joke	Julika
Wo war ...?	in Groningen, Niederlande	Ungarn
Was hat er/sie dort gemacht?	1 Semester studiert	Schüleraustausch
Mit welcher Organisation kam er/sie dorthin?		mit Lingua Sprachreisen
Wie sah sein/ihr Alltag aus?		vormittags zur Schule gegangen, danach im Sportverein trainiert, abends Mitschüler getroffen
Gab es Probleme?		Sprache war sehr schwer
Was fand er/sie gut?		hat ein neues Land kennengelernt
Was war nicht so gut?		musste mit dem Bus in die Stadt fahren / der Bus kam nur einmal in der Stunde und hatte oft Verspätung

- ■ Wo war Joke?
- ● Joke war in Groningen. Das liegt in den Niederlanden.
- ■ Was hat er dort gemacht?
- ● Er hat dort ein Semester studiert.

KB | S. 124 **Lektion 22 | 3b**

Seitdem wir auf dem Land wohnen, ...

Partner B

Ihre Partnerin / Ihr Partner liest Ihnen Satzanfänge vor. Was passt? Ergänzen Sie.

Ich habe morgens mit dem Auto immer eine Stunde im Stau gestanden.
Ich habe schon drei Kilo abgenommen.
Wir sind viel ruhiger und entspannter.
Ich habe fünf Kilo zugenommen.
Ich habe pro Tag circa 20 Zigaretten geraucht und hatte oft Husten.
Wir haben mitten im Stadtzentrum gewohnt.

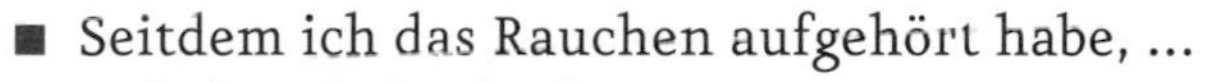

■ Seitdem ich das Rauchen aufgehört habe, ...
● ... habe ich fünf Kilo zugenommen.

Lesen Sie Ihrer Partnerin / Ihrem Partner die Satzanfänge vor. Sie/Er ergänzt. Sind die Sätze sinnvoll?

1 Seitdem ich Kinder habe, ...
2 Bis ich Kinder bekommen habe, ...
3 Seitdem ich kein Fleisch mehr esse, ...
4 Bis ich Vegetarierin geworden bin, ...
5 Seitdem ich eine neue Arbeit als Friseurin habe, ...
6 Bis ich eine neue Arbeit als Friseurin gefunden habe, ...

Variante:
Schreiben Sie eigene Satzanfänge. Ihre Partnerin / Ihr Partner ergänzt.
Sind die Sätze sinnvoll?

KB | S. 129 **Lektion 23 | 4b**

Relativsätze üben: Das ist der Kollege, der ...

Partner B

Fragen Sie Ihre Partnerin / Ihren Partner und ergänzen Sie die fehlenden Informationen.

Frau Aigner	**Frau Schwab + Herr Beer**	**Herr Reinig**	**Herr Thomsen**
Kollegin aus der Buchhaltung, hat gekündigt	Die beiden Praktikanten. Sie kommen nächste Woche zu uns in den Verkauf.	Der Kollege aus dem Lager. Er ist schon seit drei Wochen krank.	
Herr Bielenberg	**Herr Konradi**	**Frau Schober**	**Frau Jandl + Herr Huber**
Der Kollege mit den roten Haaren. Ich treffe ihn oft morgens im Bus.		Die neue Kollegin. Wir haben sie gestern im Theater getroffen.	
Herr Brunner	**Frau Weiß**	**Frau Pichler**	**Herr Novak**
Der Kollege aus der Produktion. Er fährt immer mit dem Fahrrad zur Arbeit.	Die Kollegin mit dem neuen Auto. Wir haben sie neulich auf dem Parkplatz gesehen.		
...			

■ Wer ist eigentlich Frau Aigner?

▲ Das ist die Kollegin aus der Buchhaltung, die vorgestern gekündigt hat.

Variante:

Ergänzen Sie auch eigene Beschreibungen zu Personen aus Ihrem Deutschkurs.

KB | S. 133 **Lektion 24** 5b

Nach Auslandsaufenthalten fragen: Wo war ...?

Partner B

Fragen Sie Ihre Partnerin / Ihren Partner nach den fehlenden Informationen.

	Joke	Julika
Wo war ...?	in Groningen, Niederlande	in Ungarn
Was hat er/sie dort gemacht?	ein Semester studiert	Schüleraustausch
Mit welcher Organisation kam er/sie dorthin?	mit dem Austauschprogramm Erasmus	
Wie sah sein/ihr Alltag aus?	hat studiert, in einem Apartment im Studentenwohnheim gewohnt, sich oft mit Freunden verabredet	
Gab es Probleme?	Küche und Bad im Wohnheim waren oft nicht sauber	
Was fand er/sie gut?	konnte seine Niederländisch-Kenntnisse schnell verbessern	
Was war nicht so gut?	war sehr laut im Studentenwohnheim, war deshalb nachts lange wach	

- ● Wo war Julika?
- ■ Julika war in Ungarn.
- ● Was hat sie dort gemacht?
- ■ Sie war bei einem Schüleraustausch.

BMW (Bayerische Motorenwerke) 23
der Bodensee 20
das Börek, -s 23
die Bohne, -n 29
das Bonbon, -s 29
die Boutique, -n 104
(das) Brasilien 98
braten 69
die Bratensoße (Sg.) 71
die Bratkartoffeln (Pl.) 156
die Bratwurst, ¨-e 75
das Brauhaus, ¨-er 33
die Brezel, -n 11
der Briefkasten, ¨- 81
das Briefpapier (Sg.) 64
der Briefumschlag, ¨-e 64
die Broschüre, -n 137
der Brotkorb, ¨-e 30
brummig 84
der Brunnen, - 40
der Buchdrucker, - / die Buchdruckerin, -nen 64
buchen 19
die Buchhaltung (Sg.) 176
der Buchtipp, -s 114
die Bühne, -n 36
die Büroarbeit, -en 132
die Bürogemeinschaft, -en 53
der Bürgermeister, - / die Bürgermeisterin, -nen 64
das Bundesland, ¨-er 130
das Bundesministerium, -en 68
der Busfahrer, - / die Busfahrerin, -nen 98
das Bussi, -s 32
die Buttermilch (Sg.) 28
der Campingplatz, ¨-e 21
das Carsharing (Sg.) 124
der Carsharing-Nutzer, - 124
charmant 73
der Charme (Sg.) 41
chatten 86
die Chefarztstelle, -n 135
die Chili-Schokolade, -n 81
die Chipkarte, -n 125
circa 44
der Clown, -s 108
die Cola, - s 28
der/das Comic, -s 111
die Comic-Reihe, -n 112
die Computeranimation, -en 36
das Computerprogramm, -e 171

der Cousin, -s 12
dafür: dafür sein 33
dagegen: dagegen sein 33
daher 86
damals 65
damit 39
der Dank (Sg.): zum Dank 32
der Darsteller, - / die Darstellerin, -nen 36
darüber 100
dass (Konjunktion) 59
der Dauerfrost (Sg.) 101
dauernd 48
dazu·gießen 71
das Deckenlicht, -er 17
das Demonstrativpronomen, - 115
das Denkmal, ¨-er 42
derselbe 84
die Designermöbel (Pl.) 64
der Designmöbelhändler, - 65
das Desinteresse (Sg.) 111
der Deutschlehrer, - / die Deutschlehrerin, -nen 75
die Deutschstunde, -n 157
die Diät, -en 158
das Diätgetränk, -e 153
das Diätprodukt, -e 153
dienstags 44
digital 36
der Digital Native, -s 89
direkt 17
die Diskussionsrunde, -n 36
diskutieren 15
das Dokument, -e 115
der Dokumentarfilm, -e 51
die Dom-Führung, -en 31
die Domizil-Redaktion, -en 17
die Donau 96
donnerstags 44
doppelt 30
das Doppelzimmer, - 92
das Dorf, ¨-er 20
die Dose, -n 27
der Dosenclip, -s 154
der/das Download, -s 71
drehen 84
der Drink, -s 55
drinnen 155
das Druckgefühl (Sg.) 48
drüben 42
duften 57
dumm (sein) 58
dunkel: dunkel machen 16

durcheinander (sein) 72
durchschnittlich 68
die Durchschnittsfamilie, -n 67
die Durchschnittstemperatur, -en 105
der Durchschnittswert, -e 105
duschen 96
die DVD, -s 85
die DVD-Box, -en 84
der E-Book-Reader, - 86
der EC-Automat, -en 136
die EC-Karte, -en 116
effektiv 52
egal 55
ehrenamtlich 121
ein·bauen 117
ein·brechen 170
der Einbrecher, - 117
der Einbruch, ¨-e 115
eineinhalb 76
das Einfamilienhaus, ¨-er 135
ein·geben 125
einigen (sich) 35
der Einkauf, ¨-e 126
der Einkaufsbummel (Sg.) 20
das Einkaufsgespräch, -e 29
die Einkaufsgewohnheit, -en 104
die Einkaufsliste, -n 71
der Einkaufswagen, - 90
der Einkaufszettel, - 27
das Einkommen, - 129
ein·loggen 124
ein·packen 79
das Einrad, ¨-er 12
ein·richten 15
der Einrichtungstipp, -s 15
einsam 84
ein·sammeln 94
ein·schlagen 116
die Einsparung, -en 52
ein·stellen (sich) 135
die Eintrittskarte, -n 36
einverstanden 31
ein·weichen 57
die Einweihung, -en 109
einzeln- 87
das Einzelzimmer, - 92
das Eishockey 45
eisig 101
der Eistee (Sg.) 27
elektrisch 112
emigrieren 25
der Empfänger, - 80

die Empfangshalle, -n 164
empfehlen 68
empfehlenswert 73
die Empfehlung, -en 114
enden 21
das Engagement, -s 64
das Enkelkind, -er 79
entfernt (sein) 77
entkommen 112
entlang 20
entspannt 73
die Entspannung (Sg.) 20
die Enttäuschung, -en 131
entweder ... oder 87
(das) Erasmus (-programm) 177
die Erdbeere, -n 40
die Erdgeschosswohnung, -en 117
die Erdnuss, ¨-e 85
das Ereignis, -se 11
erfahren 71
die Erfahrung, -en 20
der Erfahrungsbericht, -e 133
erfinden 133
erfolgreich 51
die Ergonomie (Sg.) 52
erhalten 98
erhitzen 71
die Erholung (Sg.) 19
die Erinnerung, -en 132
erkältet (sein) 154
erklären 123
erkunden 103
das Erlebnis, -se 131
die Ermäßigung, -en 36
die Ernährung (Sg.) 44
die Ernährungsumstellung (Sg.) 71
ernten 39
eröffnen 108
erraten 23
erreichbar (sein) 87
erreichen 124
das Erste Deutsche Fernsehen 84
der/die Erwachsene, -n 64
der Espresso, -s od -ssi 30
die Essgewohnheiten (Pl.) 28
der Essig, -e 60
die Essiggurke, -n 88
eventuell 71
der Experte, -n / die Expertin, -nen 36
der Export, -e 52
das Extra, -s 30

der Extra-Service (Sg.) 20
die Facebook-Nachricht, -en 32
der Facharzt, ¨e / die Fachärztin, -nen 135
die Facharztstelle, -n 135
die Fachhochschule, -n 130
die Fachoberschule, -n 130
der Fakt, -en 84
der Fall, ¨e 84
die Fähre, -n 96
der Fahrplan, ¨e 161
das Fahrzeug, -e 52
die Fahrzeugklasse (Sg.) 52
die Familien- und Kindheitserinnerungen (Pl.) 13
die Familiengeschichte (Sg.) 11
fantastisch 113
das Fantasiewesen, - 113
faszinieren 36
das Fazit, -e und -s 87
das Feld, -er 96
die Fernbedienung, -en 85
der Fernsehabend, -e 83
das Fernsehgerät, -e 16
die Fernsehgewohnheit, -en 83
das Fernsehprogramm, -e 84
fest: feste Arbeitszeiten 155
die Festanstellung, -en 53
festlich 71
das Fett, -e 28
fettarm 28
feucht 100
das Feuer (Sg.) 35
die Feuerwehr, -en 115
die Filiale, -n 125
das Filmmagazin, -e 119
das Filmmuseum, -een 33
das Filmteam, -s 52
der Fingerabdruck, ¨e 117
der Firmenberater, - / die Firmenberaterin, -nen 124
die Firmengeschichte (Sg.) 52
die Firmengründung, -en 64
das Firmenjubiläum, -äen 64
die Fitness (Sg.) 58
der Fitnessplan, ¨e 44
der Fitness- und Ernährungsplan, ¨e 43
der Fitnessraum, ¨e 93
das Fitnesstraining, -s 44
das Fleisch (Sg.) 44
flexibel 45
die Flexibilität (Sg.) 135
das Fließband, ¨er 52
die Flusskreuzfahrt, -en 103
der Flyer, - 55
die Folge, -n 154
der/die Fortgeschrittene, -n 20
der Forumstext, -e 153
der Fotoworkshop, -s 109
der Frageartikel - 115
das Fragewort, ¨er 92
(das) Französisch 78
das Frauen-Fitnessstudio, -s 55
frei: frei haben 77
freiberuflich 132
die Freiwilligenarbeit (Sg.) 137
die Freizeitland (Sg.) 106
der Friedhof, ¨e 96
der Frischkäse (Sg.) 28
froh (sein) 64
der Frosch, ¨e 20
der Frost, ¨e 100
der Früchtetee, -s 68
das Frühstücks-Café, -s 30
die Frühstückskarte, -n 30
der Frühstücksraum, ¨e 91
fühlen (sich) 65
die Führung, -en 32
fünf 21
das Fußballbild, -er 12
der Fußballprofi, -s 56
die Fußmatte, -en 117
die Gabel, -n 60
gärtnern 39
das Gästebuch, ¨er 66
die Gartenarbeit, -en 127
das Gartencafé, -s 39
die Gartenpizza, -s, -pizzen 39
der Gartenzwerg, -e 26
die Gartenzwergfrau, -en 26
die Gartenzwergin, -nen 26
der Gartenzwergmann, ¨er 26
die Gastfamilie, -n 89
die Gaststätte, -n 84
der/die Gazpacho, -s 88
das Gebäude, - 40
das Gebirge, - 97
gebrauchen 82
die Gebrauchsanweisung, -en 79
der Gebrauchsgegenstand, ¨e 63
die Geburt, -en 132
der Gedanke, -n 138
gefragt (sein) 135
die Gegend, -en 33
der Gegensatz, ¨e 71
das Gegenteil (Sg.) 100
gegenüber (von) 91
die Gegenwart (Sg.) 76
der Gehalt 71
gehen: durch den Kopf gehen 64
das Gelände, - 39
der Geldbeutel, - 116
der Geldschein, -e 96
das Gelernte (Sg.) 89
die Gemeinsamkeit, -en 77
die Gemeinschaft, -en 84
das Gemüse, - 44
die Gemüsebrühe (Sg.) 71
der Gemüsegarten, ¨ 39
die Gemüsesuppe, -n 44
genervt (sein) 87
das Genie, -s 74
der Genuss, ¨e 71
das Gerät, -e 55
das Geräusch, -e 80
das Gericht, -e 88
der Geruch, ¨e 77
die Gesamtschule, -n 130
die Geschäftsfrau, -en 55
die Geschäftsidee, -n 22
die Geschäftsleute (Pl.) 124
der Geschäftspartner, - / die Geschäftspartnerin, -nen 63
das Geschenkpapier, -e 64
die Geschichte, -n 11
die Geschichten-Lotterie, -n 98
das Geschlecht, -er 81
geschlossen 32
der Geschmack, ¨er 71
die Geschmackssache (Sg.) 16
das Gesicht, -er 116
die Gesichtscreme, -s 81
der Gesprächsausschnitt, -e 116
gesundheitlich 52
die Gesundheitsbar, -s 55
die Gesundheitskarte, -n 117
die Getränkeverpackung, -en 64
das Getreide, - 69
das Getreideprodukt, -e 68
das Gewicht, -e 27
das Gewichtheben (Sg.) 44
die Gewohnheit, -en 85
das Gläschen, - 85
die Glastür, -en 93
gleichzeitig 71
der Glücksbringer, - 24
die Glühbirne, -n 171
das Goethe-Institut, -e 76
das Golf 45
der Golfplatz, ¨e 106
die Grafik, -en 130
das Gramm, -e (g) 28
die Grammatikübung, -en 89
die Grenze, -n 96
die Grippe, -n 154
großartig 32
der Großstadt-Fan, -s 21
Grüezi mitenand (CH) 19
gründen 135
die Grundschule, -n 130
das Grundstück, -e 39
der Grundstückspreis, -e 39
gültig (sein) 132
das Gummiband, ¨er 81
der Gurkenkönig, -e 112
das Gymnasium, -ien 130
die Gymnastik (Sg.) 45
die Hähnchenbrust, ¨e 156
die Hälfte, -n 68
hängen 16
häufig 68
der Hagel (Sg.) 101
die Halbpension (Sg.) 92
die Halle, -n 53
halten (von) 37
der Hamburger, - 60
der Hammer, ¨ 116
(das) Handball 44
der Handschuh, -e 79
haptisch 77
der Hauptdarsteller, - / die Hauptdarstellerin, -nen 84
die Hauptrolle, -n 114
der Hauptsatz, ¨e 50
die Hauptschule, -n 130
die Hauptspeise, -n 74
das Hauptstadtwetter (Sg.) 101
die Hausarbeit (Sg.) 57
der Hausarzt, ¨e / die Hausärztin, -nen 48
die Haushaltshilfe, -n 53
die Haut, ¨e 57
der Hautarzt, ¨e / die Hautärztin, -nen 23
die Hebamme, -n 132
das Heft, -e 16
das Heimatland, ¨er 25
heimlich 112
die Heirat, -en 40

hell 16
hellgrün 20
her: her sein 36
heraus·finden 68
herbstlich 71
der Hering, -e 156
her·stellen 64
herum·ballern 119
herunter·laden 71
das Herz, -en 47
der Herzinfarkt, -e 47
die Herzkrankheit, -en 47
der Herzog, ⸚e 36
das Highlight, -s 73
hilfsbereit 73
hin: hin sein 106
hinein·passen 96
hin·fallen 50
hin·gehen 109
hinterher 87
hinunter 20
das Hip-Hop-Fest, -e 36
historisch 36
die Hitze (Sg.) 71
die Hitzeperiode, -n 101
das Hoch, -s 100
das Hochdruckgebiet, -e 101
hochwertig 73
die Hochzeitsfeier, -n 36
der Hochzeitstag, -e 104
höchstens 124
der Höhepunkt, -e 32
das Hörbuch, ⸚ 112
hoffen 153
die Hoffnung, -en 47
das Holzkreuz, -e 96
Hoppla! 96
die Hosentasche, -n 87
der/die Hotelangestellte, - 92
die Hüfte, -n 55
der Hügel, - 20
die Hühnchenbrust, ⸚e 44
der Humor (Sg.) 119
hungrig 27
ideal 20
immerhin 135
die Impfung, -en 132
der Import, -e 52
in: in sein 21
indirekt 17
der Industriemeister, - 52
inner- 45
das Inntal (Sg.) 20
die Insel, -n 152
insgesamt 42
der Inspektor, -oren 84
intensiv 87
das Interesse, -n 33
interessieren 37
der/die Interessierte, -n 36
der Internet-Eintrag, ⸚e 31
die Internetplattform, -en 65
der Irrgarten, ⸚n 41
die IT-Abteilung, -en 53
(das) Italienisch 78
die Jahrestemperatur, -en 101
das Jahrzehnt, -e 52
der James-Bond-Fan, -s 119
der James-Bond-Film, -e 119
jenseits 84
das Jobangebot, -e 24
die Jobvermittlung, -en 137
joggen 43
das Jubiläum, -en 63
das Judo 44
der/die Jugendliche, -n 13
der Junge, -n 79
das Jurastudium (Sg.) 128
die Jury, -s 108
das Kabel, - 84
die Kälte (Sg.) 99
das Kaffeehaus, ⸚er 134
der Kaiser, - / die Kaiserin, -nen 41
der Kaiserdom (Sg.) 33
der/das Kajak, -s 21
die Kamera, -s 32
die Kanne, -n 60
die Karotte, -n 71
der Kartoffelacker, - 39
das Kartoffelpüree, -s 60
die Kartoffelsuppe, -n 44
das Kartoffelwesen, - 112
der Karton, -s 79
die Kassette, -n 96
die Katze, -n 20
der Kaufmann, Kaufleute 25
der/das Kaugummi, -[s] 96
kaum 68
keiner 96
die Keller-Bar 93
der Kessel, - 112
die Kettenübung, -en 29
die Kfz-Steuer, -n 124
die Kfz-Werkstatt, ⸚en 96
die Kieler Woche 36
das Kilo(-gramm), -s (kg) 27
die Kinderbetreuung (Sg.) 55
das Kinderbuch, ⸚er 112
der Kindergartenplatz, ⸚e 135
der Kinderwagen, - 161
die Kindheit (Sg.) 112
der Kinobesuch, -e 119
der Kiosk, -e 93
das Kissen, - 16
die Kiste, -n 39
das Kite-Surfen 20
der Klang, ⸚e 77
klappen: es klappt gut 11
der Klappentext, -e 127
klar (sein) 69
die Klasse, -n 159
der Klassiker, - 17
klassisch: klassische Musik 40
kleben 54
die Kleider (Pl.) 64
die Kleingruppe, -n 98
klettern 12
klicken 90
die Klosterkirche, -n 33
knapp 84
der Knoblauch (Sg.) 28
die Knoblauchsalami, -(s) 27
der Knochen, - 71
der Knödel, - 109
die Kochgewohnheiten (Pl.) 69
die Königstochter, ⸚ 36
der Körper, - 48
kognitiv 77
die Kohlenhydrate (Pl.) 44
der Komfort (Sg.) 103
kommentieren 95
der Kommissar, -e / die Kommissarin, -nen 84
die Kommode, -n 15
kommunikativ 77
kommunizieren 87
die Komplikation, -en 132
kompliziert 11
der Konferenzraum, ⸚e 93
der Konjunktiv, -e 43
die Konkurrenz, -en 53
das Konsulat, -e 132
konsumieren 87
der Kontinent, -e 102
die Kontrolle, -n 132
die Konzentration (Sg.) 121
das Konzept, -e 39
die Konzerthalle, -n 107
die Konzertkarte, -n 81
die Kopfschmerztablette, -n 154
kostenlos 109
die Kräuter (Pl.) 39
der Krankenwagen, - 48
die Kreativität (Sg.) 121
der Kredit, -e 136
die Kreuzfahrt, -en 103
das Kreuzfahrtschiff, -e 103
der Krimi, -s 83
der Kriminalfilm, -e 84
die Krimiserie, -n 84
die Krippe, -n 130
der Krippenplatz, ⸚e 135
die Küchenhilfe, -n 137
kündigen 176
die Kündigung, -en 173
der Künstler, - / die Künstlerin, -nen 36
der Kürbis, -se 38
die Küste, -n 97
kulinarisch 103
die Kundenkarte, -n 117
die Kunsthalle, -n 109
der Kunsthistoriker, - / die Kunsthistorikerin, -nen 109
das Kursgebäude, - 94
die Kurzgeschichte, -n 112
die Kuschel-Ecke (Sg.) 17
der Kuss, ⸚e 138
das Lackieren 52
das Lächeln (Sg.) 52
das Lager, - 52
das Lammfleisch (Sg.) 72
die Landkarte, -n 65
der Landschaftsgärtner, / - die Landschaftsgärtnerin, -nen 128
die Landschafts- und Städtereise, -n 20
die Landshuter Hochzeit 36
lassen 32
(das) Latein 112
der Lauftreff, -s 55
der Lebenslauf, ⸚e 129
der Lebensmittel-Konsum (Sg.) 68
lebenswert 39
die Lehre, -n 128
leihen 44
leiten 132
der Lernertyp, -en 76
der Lerntipp, -s 75
der Leseort, -e 111
der Leser, - / die Leserin, -nen 36
der Leserbeitrag, ⸚e 35
der Liebesfilm, -e 84
das Liebesgedicht, -e 74
der Lieblingsdarsteller, - / die Lieblingsdarstellerin, -nen 84

verbessern 52
verbinden 49
verbrauchen 67
verbrennen 72
verbringen 23
der/die Verdächtige, -n 170
der Verdienst, -e 135
der Verein, -e 45
verfilmen 112
der Verkauf, ⸚e 53
verlängern 109
verlangen 135
verletzen 48
die Verletzung, -en 48
verlieben (sich) 76
die Vernissage, -n 108
die Verpackung, -en 27
verpassen 109
verreisen 76
verrückt (sein) 13
versalzen (sein) 61
verschicken 80
verschließen 81
verschütten 72
die Versicherung, -en 115
der Versicherungsberater, - / die Versicherungsberaterin, -nen 120
versorgen 71
die Verspätung, -en 175
verstecken 16
verstehen (sich) 157
verteilen 148
der Vertrag, ⸚e 125
vertrauen 48
verzeihen:Verzeihen Sie 59
vibrieren 87
das Video, -s 36
vielseitig 64
(das) Vietnamesisch 78
virtuell 90
visuell 77
das Visum, Visa/Visen 132
der Vitamin-A-Gehalt (Sg.) 71
völlig 48
der Vogel, ⸚ 20
das Vokabelkärtchen, - 76
die Volkshochschule, -n 159
voll (sein) 58
(das) Volleyball 44
die Vollkornnudel, -n 70
die Vollmilch (Sg.) 28
die Vollpension (Sg.) 163
von: von Hand 57
voneinander 170
vorbei·schauen 55
die Vorbereitung, -en 132
vor·haben 129
der Vorhang, ⸚e 141
die Vorlese-Initiative, -n 121
der Vorleser, - / die Vorleserin, -nen 121
vorletzt- 36
die Vorliebe, -n 19
vormittags 44
vorn (sein) 51
vorne: von vorne 135
vor·nehmen (sich etwas) 46
vorsichtig 96
die Vorstellung, -en 109
der Vortrag, ⸚e 36
vor·tragen 107
wachsen 13
die Wärme (Sg.) 99
das Wäschewaschen (Sg.) 57
der Wagen, - 51
wahr (sein) 109
die Wahrheit, -en 48
das Wahrheitsspiel, -e 13
wahrscheinlich 70
das Walken 45
die Wand, ⸚e 16
der Wanderer, - / die Wanderin, -nen 21
das Wanderjahr, -e 135
die Wanderung, -en 21
die Waschfrau, -en 57
die Waschmaschine, -n 57
das Waschpulver, - 57
die Wasserpumpe, -n 57
das Wasserwandern 21
das Wechselgeld (Sg.) 96
wechseln: Geld wechseln 33
die Wechselpräposition, -en 15
wegen 112
weg·gehen 109
weg·laufen 116
weg·nehmen 161
weg·werfen 64
weich 28
die Weihnachtsfeier, -n 173
der Weihnachtsgruß, ⸚e 81
weil 47
das Weinanbaugebiet, -e 103
der Weinberg, -e 103
die Weinlese, -n 137
die Weintraube, -n 27
die Weißwurst, ⸚e 88
weitere 159
weiter·empfehlen 132
weiter·geben 49
der Wellnessbereich, -e 55
weltberühmt 42
der Weltmarkt, ⸚e 52
wenigstens 60
wenn (Konjunktion) 67
die Werbebroschüre, -n 19
der Werbetext, -e 21
das Werk, -e 52
der Werkstattladen, ⸚ 64
das Werkzeug, -e 18
der Wertgegenstand, ⸚e 117
der Westwind, -e 101
der Wettbewerb, -e 52
die Wetterkarte, -n 101
der Wetterrekord, -e 105
die Wetterzone, -n 105
der Wettkampf, ⸚e 45
wichtig 51
die Wichtigkeit (Sg.) 51
widersprechen 170
wieder·finden 32
wiederholen 77
wiegen 44
die Windjammerparade, -n 36
winken 52
der Wintermonat, -e 68
die Wintersaison, -s 105
der Wintersport (Sg.) 100
der Wintertyp, -en 99
die Wirtschaft (Sg.) 52
wirtschaftlich 64
der Wissenschaftler, - / die Wissenschaftlerin, -nen 87
der Witz 13
die Wochenarbeitszeit (Sg.) 52
die Wochenendreise, -n 104
wöchentlich 121
das Wohnheim, -e 177
der Wohnungsschlüssel, - 117
die Wohnungstür, -en 117
womit 100
worauf 20
woraus 65
das Work & Travel-Programm, -e 135
wovon 100
das Würstchen, - 88
die Wüste, -n 97
wundern (sich) 72
wundervoll 41
die Wurst, ⸚e 68
die Wursttheke, -n 147
die Wurstwaren (Pl.) 68
die Yacht, -en 36
das Yoga (Sg.) 45
der Yogakurs, -e 55
zahlen 61
der Zahnarzt, ⸚e / die Zahnärztin, -nen 154
die Zahnschmerzen (Pl.) 154
das ZDF 84
zeitlich 45
der Zeitungsartikel, - 63
die Zeitungsmeldung, -en 79
der Zeuge, -n 170
das Zeugnis, -se 128
die Zigarette, -n 139
der Zimmerschlüssel, - 91
der Zimmerservice (Sg.) 166
der Zirkus, -se 109
zitieren 114
zögern 107
der Zoll, ⸚e 132
die Zubereitung (Sg.) 71
die Zucchini, - 40
der Zucker (Sg.) 61
der Zucker- und Säuregehalt (Sg.) 71
zufällig 56
die Zufriedenheit (Sg.) 127
die Zugangsdaten (Pl.) 125
zu·geben 112
zugleich 84
die Zukunftsfrage, -n 36
das Zukunftsproblem, -e 36
das Zumba (Sg.) 55
zu·nehmen 175
zurück·bringen 125
zurück·fließen 39
die Zusammenarbeit (Sg.) 66
zusammen·passen 64
zusammen·sitzen 69
der Zuschauer, -/ die Zuschauerin, -nen 84
zustimmen 35
zwar 87
der Zweig, -e 71
zweimal (so viel/-) 68
die Zwiebelsuppe, -n 44
der Zwilling, -e 23
die Zwillingsgeburt, -en 132

Cover: © Getty Images/Andreas Kindler
U2: © Digital Wisdom
Seite 10: © Hueber Verlag/Kiermeir
Seite 12: © Nikola Keil, München
Seite 16: Arlet Ulfers, Inning
Seite 19: A © PantherMedia/Rico Ködder; B © Thinkstock/iStockphoto; C © Thinkstock/iStockphoto; D © PantherMedia/Andreas Weber
Seite 20: Bildlexikon: Wald, Pflanze, Vogel, Frosch © Thinkstock/iStockphoto; Wiese © Thinkstock/Comstock; Dorf © iStockphoto/Sergge; Katze © Thinkstock/Ingram Publishing; Hund © Thinkstock/zoonar; Ü3: 1 © fotolia/RCsolutions; 2 © www.radweg-reisen.com; 3 © Thinkstock/iStockphoto; 4 © fotolia/Martin Schlecht
Seite 21: Bildlexikon: Meer, Landschaft, Hügel © Thinkstock/iStockphoto; Strand © Thinkstock/Ablestock.com; See, Berg © Thinkstock/Stockbyte; Fluss © fotolia/Undine Aust; Ufer © PantherMedia/Brigitte Götz
Seite 23: oben von links © iStockphoto/ozgurdonmaz; © Thinkstock/iStockphoto; © iStockphoto/delihayat; © iStockphoto/ozgurdonmaz; Mitte von links © iStockphoto/Paco Romero; © Thinkstock/Digital Vision; © Thinkstock/Comstock; © Thinkstock/iStockphoto; © Thinkstock/Getty Images/Jupiterimages; unten von links © fotolia/dacasdo; © Thinkstock/iStockphoto; © Thinkstock/Comstock; © fotolia/Anna Omelchenko; © Thinkstock/Photodisc/Barbara Penoyar
Seite 24: Filmstationen Ü1: watch and tell – filmproduktion gmbh; Ü2: Spiegel © iStockphoto/jenjen 42; Glas © fotolia/Mari Z.
Seite 25: © Süddeutsche Zeitung Photo/SZ Photo; © dpa Picture-Alliance/STR
Seite 28: Bildlexikon: Thunfisch, Salami, Pfirsich, Eistee, Paprika, Knoblauch, Banane, Birne © Thinkstock/iStockphoto
Seite 29: Bildlexikon: Saft, Marmelade © Thinkstock/Stockbyte; Bohne, Mehl, Bonbon © Thinkstock/iStockphoto; Quark © iStockphoto/katyspichal; Cola © Thinkstock/Hemera
Seite 31: unten © dpa Picture-Alliance/Oliver Berg
Seite 33: oben von links © Thinkstock/iStockphoto; © fotolia/anyaivanova; © iStockphoto/FlashSG; unten von links © www.koelntourismus.de; © Thinkstock/iStockphoto
Seite 35: © ddp images/dapd
Seite 36: links von oben © fotolia/Fotowerner; © dpa Picture-Alliance/Ennio Leanza; © fotolia/Eléonore H; © PantherMedia/Detlef Dittmer; rechts von oben © Thinkstock/Stockbyte; © Ars Electronica Linz GmbH; © Thinkstock/Digital Vision/John Rowley; © Die Förderer e.V. / O. Haßler
Seite 37: von oben © Thinkstock/Creatas/Jupiterimages; © Thinkstock/Brand X Pictures/Jupiterimages
Seite 38: © Die Förderer e.V./O. Haßler
Seite 39: © Marco Clausen/Prinzessinnengarten (3)
Seite 40: Filmstationen: watch and tell – filmproduktion gmbh
Seite 41: 1, 3 © Thinkstock/iStockphoto; 2 © fotolia/Gerd Lutz; Mitte © Glow Images SuperStock; unten © Thinkstock/iStockphoto
Seite 42: © fotolia/mirkLe
Seite 44: Bildlexikon: Basketball © Thinkstock/Comstock/Jupiterimages; Volleyball, Fitnesstraining, Badminton © Thinkstock/Hemera; Handball © PantherMedia/Carme Balcells; Gewichtheben © Thinkstock/iStockphoto; Judo © PantherMedia/auremar
Seite 45: Bildlexikon: Yoga © Thinkstock/Stockbyte/George Doyle; Golf © Thinkstock/Stockbyte; Gymnastik © PantherMedia/vgstudio; Tischtennis, Aqua-Fitness, Rudern © Thinkstock/iStockphoto; Eishockey © Thinkstock/Hemera; Walken © PantherMedia/Bernd Leitner
Seite 48: © Thinkstock/iStockphoto
Seite 52: links © Audi AG
Seite 55: von links: © Thinkstock/Hemera; © Thinkstock/Digital Vision; © Thinkstock/Stockbyte; © Thinkstock/Hemera
Seite 56: Filmstationen: watch and tell – filmproduktion gmbh
Seite 57: Wäscherinnen © Süddeutsche Zeitung Photo/Scherl; Wäsche © Thinkstock/Polka Dot/Jupiterimages; Pumpe © Thinkstock/iStockphoto; Waschmaschine © fotolia/Sashkin
Seite 60: Bildlexikon: Geschirr, Tasse, Besteck, Gabel, Löffel © Thinkstock/Hemera; Glas, Kanne © Thinkstock/iStockphoto; Teller © Thinkstock/Stockbyte
Seite 61: Bildlexikon: Messer © Thinkstock/Hemera; Salz, Pfeffer, Serviette © Thinkstock/iStockphoto; Essig, Öl © PantherMedia/claire norman; Zucker © fotolia/PRILL Mediendesign
Seite 64: Bildlexikon: Briefumschlag, Briefpapier © Thinkstock/iStockphoto; Postkarte © Thinkstock/Hemera; Blumenmotiv © iStockphoto/lorenzo104; Notizblock © PantherMedia/wu kailiang; Geschenkpapier © Hueber Verlag/Kiermeir

QUELLENVERZEICHNIS

Seite 65: Bildlexikon: Geldbörse, Aktentasche © GEPA – The Fair Trade Company; Handtasche © Christiane Frank, 98631 Römhild /OT Milz – www.nadelspitzen.de; Rucksack © www.pigschick.de
Seite 68: Bildlexikon: Obst © fotolia/Andrey Armyagov; Gemüse © Thinkstock/iStockphoto; Wurst © PantherMedia/Birgit Reitz-Hofmann; Fleisch © fotolia/Jacek Chabraszewski
Seite 69: Bildlexikon: Fisch © fotolia/Olga Patrina; Getreide, Limonade © Thinkstock/iStockphoto; Mineralwasser © Thinkstock/Zoonar
Seite 70: Getreide, Saft © Thinkstock/iStockphoto; Obst © fotolia/Andrey Armyagov
Seite 71: links © PantherMedia/Christian Schwier; rechts von oben © Thinkstock/iStockphoto (2); © fotolia/cook-and-style; © iStockphoto/beyhanyazar; © fotolia/amlet
Seite 72: Filmstationen: watch and tell – filmproduktion gmbh
Seite 73: © Thinkstock/iStockphoto
Seite 77: Regen © PantherMedia/Chris Schäfer; Sternschnuppe ©Thinkstock/iStockphoto; Herz © fotolia/Yahia LOUKKAL
Seite 80: Bildlexikon: Post, Absender, Adresse, Empfänger © Hueber Verlag/Kiermeir; Päckchen © iStockphoto/JoKMedia; Paket © Thinkstock/iStockphoto; Unterschrift © fotolia/lichtmeister; Kinderfotos © Geschenke der Hoffnung e.V.
Seite 81: Bildlexikon: Briefumschlag © Thinkstock/Hemera; Schalter, Briefkasten © Deutsche Post World Net; Postkarte, Brief, packen © Hueber Verlag/Kiermeir; Karton © Thinkstock/iStockphoto; Illustrationen © Geschenke der Hoffnung e.V.
Seite 83: Bildschirmfoto © fotolia/Dan Race
Seite 84: Bildlexikon: Krimi © fotolia/Dan Race; Zuschauer © Thinkstock/Comstock; Mediathek © ARD Mediathek; Darsteller © fotolia/contrastwerkstatt; Tatort-Logo © ARD
Seite 85: Bildlexikon: DVD, Sendung © Hueber Verlag/Kiermeir; Regisseur © iStockphoto/jackscoldsweat; Fernbedienung © Thinkstock/Photodisc/Thomas Northcut; Rundfunk © fotolia/Dmitry Skvorcov
Seite 87: © iStockphoto/rgbspace
Seite 88: Filmstationen: watch and tell – filmproduktion gmbh
Seite 89: Berlin © fotolia/paul prescott; Schüler © fotolia/Monkey Business
Seite 90: links © Thinkstock/Zoonar; rechts © Thinkstock/iStockphoto
Seite 92: Bildlexikon: Einzelzimmer © PantherMedia/zhang xiangyang; Doppelzimmer © PantherMedia/Peter Jobst; Nichtraucher © iStockphoto/fozrocket; Sauna, Schwimmbad © Thinkstock/iStockphoto; Frühstücksraum © PantherMedia/Dagmar Gissel
Seite 93: Bildlexikon: Bar © fotolia/Henrik Winther Ander; Rezeption, Fitnessraum © Thinkstock/Hemera; Konferenzraum © Thinkstock/Digital Vision; Restaurant © Thinkstock/Stockbyte/George Doyle; Parkplatz © fotolia/henryart; Kiosk © iStockphoto/gioadventures
Seite 96: Bildlexikon: Abfahrt © fotolia/lightpoet; Ankunft © Thinkstock/Ryan McVay; Reifenpanne © Thinkstock/Stockbyte; Tankstelle, Motor © Thinkstock/iStockphoto; Werkstatt © Thinkstock/Getty Images/Jupiterimages; Reifen wechseln © fotolia/Kimsonal; Ü4 © Hueber Verlag/Charlotte Habersack
Seite 97: Bildlexikon: Autobahn © Thinkstock/Comstock; Fähre, Schiff © Thinkstock/iStockphoto; Wagen © PantherMedia/Jacek Tarczyński; Motorrad © PantherMedia/Bogdan Ionescu
Seite 99: Franz Specht, Weßling
Seite 100: Bildlexikon: Hoch, Tief © fotolia/oconner; Temperatur © iStockphoto/Mervana; trocken © PantherMedia/sahua; feucht, Niederschlag, Frost © fotolia/Bastetamon; Ü3: Franz Specht, Weßling
Seite 101: Bildlexikon: Kälte, Hitze, Wärme, Hagel © fotolia/Bastetamon; Eis © Thinkstock/Getty Images/Dynamic Graphics; Schauer © fotolia/LoopAll; Wettersymbole auf Landkarten © fotolia/Bastetamon
Seite 102: © Thinkstock/Hemera
Seite 103: Landkarte © fotolia/Kaarsten; Schiff, Weinberge © Thinkstock/iStockphoto; Paar © Thinkstock/Photodisc/Steve Mason
Seite 104: Filmstationen: watch and tell – filmproduktion gmbh
Seite 105: Landkarte © fotolia/artalis; Locarno-Monti © fotolia/Bergfee; Säntis © fotolia/Marcel Mayer; Jungfraujoch © fotolia/Holger Schultz; Ackersand-Neubrück © Mit freundlicher Genehmigung der Gemeinde Stalden (CH)
Seite 107: © Thinkstock/Getty Images/Jupiterimages
Seite 108: © Thinkstock/Getty Images/Jupiterimages
Seite 109: © Thinkstock/Fuse
Seite 110: © Thinkstock/Getty Images/Jupiterimages

Seite 112: Bildlexikon: Comic, Krimi © Thinkstock/iStockphoto; Roman © Thinkstock/Brand X Pictures; Zeitung © Thinkstock/Comstock; Zeitschrift © Hueber Verlag/Kiermeir; Gedicht © Hueber Verlag; Märchen © fotolia/Bajena; Asterix © Les Editions Albert René / Egmont Ehapa Verlag; Janosch, Gurkenkönig © mit freundlicher Genehmigung der Verlagsgruppe Beltz; Spyri, Johanna: Heidi. Heidis Lehr- und Wanderjahre © 1995 Arena Verlag GmbH, Würzburg, Umschlaggestaltung: Hans G. Schellenberger; Julius © Thinkstock/iStockphoto; Lucy © Thinkstock/Dynamic Graphics; Anton © Thinkstock/Getty Images/Jupiterimages; Anita © Thinkstock/Getty Images/Jupiterimages
Seite 113: Bildlexikon: Sachbuch © Hueber Verlag; Ratgeber © Thinkstock/Jupiterimages/Polka Dot; Hörbuch © Thinkstock/iStockphoto; Kinderbuch © PantherMedia/Mo Templin; Bilderbuch © fotolia/n_eri
Seite 114: Martin Suter © Mit freundlicher Genehmigung des Diogenes Verlag - www.diogenes.ch
Seite 116: Bildlexikon: EC-Karte © PantherMedia/Helma Spona; Personalausweis © Bundesministerium des Innern; Bargeld © fotolia/Henry Czauderna; Führerschein © Bundesdruckerei GmbH
Seite 117: Bildlexikon: Gesundheitskarte © AOK-Mediendienst; Kundenkarte © fotolia/DeVIce; Telefonkarte © fotolia/hs-creator und iStockphoto/Trout55; Kreditkarte © Thinkstock/iStockphoto
Seite 119: Zelluloid © PantherMedia/Erwin Wodicka; Filmrolle © iStockphoto/onurdongel; Christian © iStockphoto/hidesy; Rike, Jörg © Thinkstock/iStockphoto; Nina © iStockphoto/billnoll
Seite 120: Filmstationen: watch and tell – filmproduktion gmbh
Seite 121: © Thinkstock/Monkey Business
Seite 125: © iStockphoto/silentwolf; Handyticket 1–5 © Hueber Verlag/Kiermeir
Seite 126: Flugzeug © fotolia/Ilja Mašik; Bahn © Deutsche Bahn AG/Claus Weber; Haltestelle © iStockphoto/ollo
Seite 128: Bildlexikon: Schule © digitalstock; Note © PantherMedia/Peter Jobst; Zeugnis, mündliche Prüfung © Hueber Verlag/Kiermeir; schriftliche Prüfung © iStockphoto/Goldfaery; Schulabschluss © Project Photos, Augsburg
Seite 129: Bildlexikon: Lehre © Thinkstock/iStockphoto; Studium © Thinkstock/Digital Vision; Uni © fotolia/line-of-sight; Semester © Hueber Verlag/Kiermeir; Lebenslauf © fotolia/marog-pixcells; Bewerbung © PantherMedia/Erwin Wodicka; Porträts von oben © Hueber Verlag/Kiermeir, © Thinkstock/Wavebreak Media; © Thinkstock/Getty Images/Jupiterimages
Seite 130: © Ministerium für Schule und Weiterbildung des Landes Nordrhein-Westfalen
Seite 132: Bildlexikon: Zoll © fotolia/ufotopixl10; Grenze © PantherMedia/Matthias Krüttgen; Konsulat © fotolia/liotru; Visum © Hueber Verlag; Impfung © fotolia/M.Rosenwirth; Fotos unten © mit freundlicher Genehmigung von Médicins Sans Frontières – Ärzte ohne Grenzen e.V.
Seite 133: Bildlexikon: Pass © fotolia/Peter Mautsch; Piktogramme © fotolia/Dmitry Skvorcov
Seite 134: oben © Thinkstock/iStockphoto; unten © fotolia/Schellig
Seite 135: © Thinkstock/Photodisc/Ableimages
Seite 136: Filmstationen: watch and tell – filmproduktion gmbh
Seite 137: © Thinkstock/Photodisc/David De Lossy
Seite 138: Fotos von oben: © iStockphoto/wongkaer; © iStockphoto/matka_Wariatka; © fotolia/Marzanna Syncerz; Rahmen von oben © iStockphoto/lugogarcia;© iStockphoto/RoselynCarr
Seite 139: Würfel © iStockphoto/arakonyunus; Spiel in Spielrichtung vom Start ins Ziel © PantherMedia/Ruth Black; © iStockphoto/Eldad Carin; © PantherMedia/Dietmar Stübing; © iStockphoto/milosluz; © fotolia/Alexandra Karamyshev; © iStockphoto/DesignSensation; © iStockphoto/karandaev; © iStockphoto/MarcusPhoto1; © fotolia/Carmen Steiner; © PantherMedia/Reiner Wuerz; © iStockphoto/zentilia; © fotolia/N-Media-Images; © PantherMedia/Andreas Jung; © iStockphoto/silentwolf; © iStockphoto/fjdelvalle; © fotolia/francois clappe; © Pitopia/Walter Korine; © iStockphoto/pathompong24; © Hueber Verlag; © iStockphoto/raclro; © Thinkstock/iStockphoto; © iStockphoto/peepo; Handy © iStockphoto/milosluz; Kreditkarte © iStockphoto/MarcusPhoto1
Seite 141: unten © Hueber Verlag/Kiermeir
Seite 142: Möbel von links nach rechts unten © iStockphoto/tiler84; © iStockphoto; © iStockphoto/twohumans; © iStockphoto/jallfree; © iStockphoto/catnap72; © Thinkstock/iStockphoto (3)
Seite 144: Möbel von links nach rechts unten © iStockphoto/tiler84; © iStockphoto; © iStockphoto/twohumans; © iStockphoto/jallfree; © Thinkstock/iStockphoto (3) © iStockphoto/catnap72
Seite 150: © Thinkstock/Lifesize/Siri Stafford
Seite 152: © Thinkstock/Lifesize/Siri Stafford
Seite 153: von oben © Thinkstock/Jupiterimages/Brand X Pictures; © Thinkstock/Jupiterimages; © Thinkstock/Comstock
Seite 154: Würfel © iStockphoto/arakonyunus; 1 © www.escamastudio.com; 2 © ProNa GmbH; 3 © erfinderladen; 4 © www.ryanfrank.net; 5 © Handgeschöpfte Schmuckpapiere Claudia Diehl, Foto: Andrea Heinze; 6 © www.vonkrausse.de
Seite 156: links von oben © PantherMedia/Bernd Kröger; © Thinkstock/Hemera; © PantherMedia/Elke Elizabeth Rampfl-Platte; © Thinkstock/iStockphoto; © fotolia/ExQuisine; © Thinkstock/iStockphoto; © fotolia/Carmen Steiner; rechts von oben © Thinkstock/iStockphoto; © Thinkstock/Hemera; © Thinkstock/iStockphoto (2)